A vegetariana

Han Kang

A vegetariana

tradução
Jae Hyung Woo

todavia

I A vegetariana 7

II A mancha mongólica 55

III Árvores em chamas 115

I
A vegetariana

Nunca tinha me ocorrido que minha esposa era uma pessoa especial até ela adotar o estilo de vida vegetariano. Para ser bem franco, não me senti atraído por ela na primeira vez em que a vi. Estatura mediana. O cabelo não era nem comprido nem curto. Tinha a pele levemente amarelada, as maçãs do rosto um pouco pronunciadas. Vestia-se de forma neutra, como se tivesse algum tipo de receio de se destacar. Calçando um par de sapatos pretos bastante sem graça, ela se aproximou da mesa em que eu a esperava. Não andava nem rápido nem devagar, sem firmeza, mas também sem muita fragilidade.

Acabei me casando porque ela não tinha nenhum charme especial, e também por não ter notado defeitos muito gritantes. Uma personalidade dessas, sem frescor, brilhantismo ou refinamento, me deixava confortável. Não sentia necessidade de bancar o inteligente para conquistá-la e não precisava correr tentando não chegar atrasado aos nossos encontros. Tampouco sentia complexo de inferioridade ao me comparar com os típicos galãs dos catálogos de moda. Ganhei uma barriguinha já na segunda metade dos meus vinte anos. Meu corpo não desenvolvia massa magra nem mesmo com meus repetidos esforços de me exercitar. Até mesmo meu pênis pequeno, que costumava me deixar um tanto apreensivo, parou de me incomodar quando estava com ela.

Eu nunca gostei de nada muito exuberante. Ainda criança, andava com moleques dois ou três anos mais novos que eu e gostava de bancar o dono da rua. Quando cresci, consegui entrar numa faculdade que oferecia uma bolsa bem decente. Em seguida, me contentei em receber um salário modesto numa empresa pequena que valorizava o pouco que eu era capaz de fazer. Por isso, casar com uma mulher que parecia ser a mais comum do mundo era uma escolha natural. Mulheres bonitas, inteligentes, notavelmente sensuais ou filhas de famílias ricas só me causavam desconforto.

Conforme minha expectativa, ela desempenhou a função de esposa sem grandes dificuldades. Todos os dias acordava às seis da manhã e preparava arroz, sopa e um pedaço de peixe. Mesmo não sendo muita a renda dela, obtida do bico que fazia desde a época em que era solteira, ajudava nas despesas da casa. Ela trabalhava como professora auxiliar numa escola de computação gráfica na qual estudou por um ano e, em casa, digitava falas nos balões de histórias em quadrinhos para uma publicação.

Era uma mulher de poucas palavras. Raramente me pedia alguma coisa e, mesmo quando eu demorava a voltar para casa, pouco se incomodava. Nem pedia para passearmos juntos nos feriados, quando coincidia de estarmos de folga ao mesmo tempo. Eu ficava estirado no chão, com o controle remoto da tevê, e ela permanecia no quarto. Acho que ficava trabalhando ou lendo — seu único hobby eram os livros, mas esses livros pareciam tão entediantes que nem me dava vontade de lê-los. Só na hora das refeições é que ela abria a porta, saía e preparava a comida, sem dizer nada. Para falar a verdade, viver com uma esposa assim não era muito divertido. Mas quando eu pensava nos outros, amigos e colegas de trabalho, falando das esposas, que telefonavam a cada cinco minutos e viviam reclamando e provocando brigas homéricas, eu até me sentia agradecido.

Diferentemente das outras mulheres, a minha não gostava de usar sutiã. No curto e modorrento período em que namoramos, quando percebi a ausência do cós do sutiã ao passar as mãos em suas costas, fiquei levemente excitado. Para ter certeza de que com isso ela queria me mandar algum sinal, eu a observei por um tempo com olhares renovados. Mas percebi que ela não tinha a intenção de me mandar um sinal. Então, por que não usava sutiã? Preguiça? Displicência? Eu não conseguia compreender. Os seios dela não eram lá grande coisa. Nem combinava ficar sem sutiã. Se, em vez disso, ela ao menos usasse sutiãs com bojos generosos, eu teria me sentido melhor quando a apresentava para meus amigos.

Depois do casamento, ela não usava sutiã nem dentro de casa. No verão, quando tinha que sair, acabava vestindo um, com receio de deixar os mamilos evidentes, mas logo soltava os ganchos. Quando usava blusas apertadas ou de tecido mais fino, os ganchos soltos ficavam aparentes. Mas ela não se importava. Quando eu chamava sua atenção, colocava um colete por cima, mesmo quando fazia um calor danado. Ela se justificava dizendo que usar sutiã era sufocante e que sentia um forte aperto no peito. Como eu nunca usei um, não tinha como saber o quanto isso era verdade, mas, de acordo com o que eu observava, as outras mulheres não se sentiam incomodadas, por isso sua sensibilidade extrema me parecia estranha.

Fora isso, todo o resto fluía bem. Aquele era nosso quinto ano de casados. Já que desde o começo não morríamos de paixão um pelo outro, nem havia por que sentir algum desgaste. Tínhamos postergado a gravidez para depois de comprar esta casa, no outono do ano passado, e então comecei a achar que estava na hora de ouvir alguém me chamar de papai. Mas em fevereiro último, de madrugada, encontrei minha esposa na cozinha, de pijama. Até aí eu nunca tinha pensado que nossa vida pudesse sofrer a mínima transformação.

"O que você está fazendo de pé aí?", lhe perguntei no momento em que ia acender a luz do banheiro. Devia ser umas quatro da madrugada. Tinha acordado com sede e com vontade de mijar, por causa da meia garrafa de soju que tomara no jantar com os colegas do trabalho.

"Hein? O que está fazendo?", insisti, olhando-a e sentindo muito frio. O sono e a embriaguez até sumiram. Ela estava imóvel, sem desviar o olhar da porta da geladeira. Por causa da escuridão, eu mal distinguia os traços de seu rosto. Mas teve algo que me deixou arrepiado. Seu cabelo preto abundante, sem nenhum tingimento, estava todo desarrumado. Como sempre, a barra de sua camisola, que ia até o tornozelo, estava levemente dobrada para cima.

Ao contrário de nosso quarto, a cozinha era bem gelada. Num dia normal, a minha esposa, que é friorenta, teria colocado um cardigã por cima e enfiado com pressa os pés nas pantufas de lã. Não sei desde quando ela estava lá, em pé, daquele jeito. Estava descalça e com a camisola fina, que ela usa da primavera ao outono, e permaneceu imóvel, como se não tivesse ouvido nada. Parecia até que alguém invisível — quem sabe um fantasma — estava no lugar da geladeira.

O que ela tinha? Será que era sonâmbula, como dizem por aí?

Eu me aproximei dela, que estava de perfil, parecendo uma estátua de pedra.

"O que você tem? Por que agora…" Quando coloquei a mão sobre seu ombro, para minha surpresa ela não se assustou.

Não é que estivesse distraída; esteve o tempo todo consciente, desde a hora que saí do quarto e a questionei até o momento da minha aproximação. Estava apenas me ignorando, igualzinho quando eu voltava da rua, tarde da noite, e ela não me dava bola, enganchada que estava em algum programa da tevê. Mas o que é que ela tinha para se concentrar tanto numa cozinha escura, às quatro da madrugada, na frente da porta de uma geladeira com quatrocentos litros de capacidade?

"Querida?"

Olhei seu rosto no meio da escuridão. Tinha uns olhos frios e brilhantes, a boca fechada com firmeza. Nunca a tinha visto com essa cara.

"... Eu tive um sonho", respondeu, com voz firme.

"Sonho? Do que você está falando? Sabe que horas são?"

Ela me deu as costas e começou a caminhar lentamente em direção ao quarto. Assim que atravessou o batente, esticou o braço para alcançar a porta e a fechou em silêncio. Fiquei sozinho na escuridão da cozinha, encarando a porta do quarto que engoliu minha esposa vestida de branco.

Acendi a luz e entrei no banheiro. Por dias, a temperatura ficou oscilando em torno de dez graus. Como eu tinha tomado banho algumas horas antes, o chinelo ainda estava úmido, o que gelou meus pés. Era possível sentir a tristeza silenciosa do inverno cruel passando pelo buraco escuro da ventilação logo acima da banheira e dos azulejos brancos que cobriam chão e parede.

Quando voltei para o quarto, não percebi nenhum movimento vindo do lado em que minha esposa dormia encolhida. Era como se eu estivesse sozinho na cama. Mas, é claro, era só impressão minha. Quando prestei mais atenção, consegui distinguir uma respiração bem suave. Não parecia vir de alguém que estivesse dormindo. Imaginei que, se esticasse o braço, poderia sentir a pele quente dela. Mas por alguma razão eu não quis tocá-la. Tampouco tive vontade de falar com ela.

Deitado na cama, no aconchego do edredom, por um momento perdi a noção da realidade encarando a luz do sol de inverno que atravessava a cortina branca do quarto, sem pensar em nada. Quando levantei um pouco a cabeça e olhei para o relógio na parede, dei um salto e saí chutando a porta. Minha esposa estava novamente na frente da geladeira.

"Você ficou louca? Por que não me acordou? Sabe que horas são...?"

Pisei em algo mole e me detive por um momento. Não podia acreditar no que estava vendo.

Ela estava encolhida no chão, com a mesma camisola da noite anterior e com o cabelo completamente despenteado. Em volta dela, sacos e potes de plástico estavam espalhados pelo chão da cozinha. Carne bovina para shabu-shabu,* barriga de porco, dois pedaços enormes de pata de boi, lulas guardadas em sacos herméticos, enguias limpas dadas havia pouco tempo por minha sogra, que mora no interior, anchovas amarradas em cordas amarelas, guiozas congelados com o pacote ainda lacrado e mais uma quantidade enorme de embalagens sem conteúdo definido. Ela estava colocando todas dentro de um saco de lixo, num barulho de plástico amassado infernal.

"O que pensa que está fazendo?!", gritei, perdendo as estribeiras.

Ela continuou a colocar as embalagens menores no saco de lixo e me ignorou, exatamente como havia feito na noite anterior. Para todo lado havia carne bovina, suína, fatias

---

* Cozido típico. [Todas as notas são do tradutor.]

de frango, até porções de enguia marinha que valiam uma nota preta.

"Você está maluca? Por que está jogando tudo isso fora?"

Afastei os sacos plásticos e agarrei o pulso dela. Para minha surpresa, sua mão estava tão firme que só consegui fazê-la largar as embalagens quando meu rosto já estava vermelho de tanto fazer força. Massageando o pulso direito avermelhado com a mão esquerda, ela falou num tom de voz usual:

"Eu tive um sonho."

De novo, aquele assunto. Repetiu isso de forma impassível, me encarando de volta. Foi quando meu celular tocou.

"Merda!"

Comecei então a fuçar o casaco que tinha deixado jogado no sofá da sala de estar. Encontrei o telefone no último bolso, ainda tocando loucamente.

"Sinto muito... É que surgiu um problema urgente aqui em casa... Sinto mesmo; farei o possível para chegar o quanto antes. Não, não, já estou a caminho. Espere só... Não, não faça isso. Espere só um pouco... De novo te peço desculpas... Não sei nem o que dizer..."

Desliguei o celular e corri para o banheiro. Fiz a barba com tanta pressa que acabei me cortando em dois lugares.

"Não tem nenhuma camisa passada?"

Ela não me respondeu. Esbravejando sem parar, revirei o cesto de roupas sujas e encontrei a camisa que tinha usado no dia anterior. Felizmente, não estava tão amassada. Enquanto eu enrolava a gravata no pescoço como um cachecol, colocava meias e pegava agenda e carteira, minha esposa não deu um passo para fora da cozinha. Pela primeira vez em cinco anos de casamento, eu tive que sair para trabalhar sem seus préstimos e sem que me acompanhasse até a porta.

"Ela surtou! Está completamente louca!"

Enfiei os pés no par de sapatos comprado havia pouco, ainda estavam desconfortáveis. Saí chutando a porta de casa. Quando notei que o elevador estava parado no último andar, desci correndo os três andares até o térreo. Só quando embarquei no metrô, foi que olhei para o reflexo do meu rosto na janela escura do vagão. Ajeitei o cabelo, dei o nó da gravata e tentei desamassar a camisa com as mãos. Depois de tudo isso me lembrei da arrepiante calma da minha esposa e de sua voz dura.

Por duas vezes ela disse que tudo aquilo foi por causa do sonho que tivera. Fiquei com a impressão de ter visto de relance seu rosto do outro lado da janela do vagão, em meio à profunda escuridão do túnel. E não a reconheci, como se a estivesse vendo pela primeira vez. Mas como só tinha meia hora para elaborar a desculpa pelo atraso e repassar o projeto que iria apresentar para um de nossos clientes, não tinha mais tempo para ficar pensando nela. Apenas resmunguei comigo mesmo: eu tinha de dar um jeito de voltar cedo para casa. Desde que mudara de setor, havia meses que eu não saía da empresa antes da meia-noite.

Era um bosque escuro. Não havia ninguém nele. Machuquei o rosto e lanhei os braços ao passar pelos arbustos. Tinha certeza de que estava acompanhada de outras pessoas. Acho que me perdi sozinha. Fiquei com muito medo. Sentia frio. Atravessei um arroio congelado e encontrei uma construção iluminada que mais parecia um celeiro. Passei por uma cortininha de palha, e então eu vi. Centenas de pedaços de carne, uns pedaços enormes, estavam pendurados em sarrafos. De alguns deles pingavam gotas de sangue vermelho ainda fresco. Abri caminho por incontáveis pedaços de carne, mas não conseguia encontrar a saída do outro lado. Meu vestido branco ficou completamente encharcado de sangue.

Não faço ideia de como saí de lá. Voltei correndo sem parar sobre meus próprios passos, cruzando o arroio outra vez. De repente, a floresta ficou clara e cheia do verde primaveril das árvores. O lugar estava tomado por crianças e senti um cheiro gostoso de comida. Várias famílias faziam piquenique. A cena era radiante, nem consigo descrevê-la. Dava até para escutar o barulho do riacho. Havia pessoas sentadas sobre esteiras perto dele, comendo rolinhos de arroz envoltos em algas. Na outra margem havia gente assando carne, cantando. Dava para ouvir riso e alegria vindos de todos os lados.

Mas eu estava estarrecida. Minha roupa ainda estava manchada de sangue. Aproveitei que ainda não tinha sido vista por ninguém, me encolhi e fui me esconder atrás de uma árvore. Minha mão também estava manchada de sangue, porque eu tinha comido pedaços de carne que estavam caídos no chão daquele celeiro. Eu tinha esfregado sangue vermelho da carne crua e mole na gengiva e no céu da boca. O reflexo dos meus olhos estava brilhando na poça de sangue no chão do celeiro.

Foi tudo tão real. A sensação de mastigar carne crua, o meu rosto, o brilho dos meus olhos. Parecia o de alguém que conheci pela primeira vez, mas com certeza era meu rosto. Quero dizer, pelo contrário, parecia tê-lo visto tantas vezes, mas não era meu rosto. Difícil explicar. Era familiar e desconhecido ao mesmo tempo... Essa sensação real e esquisita, terrivelmente estranha.

Na mesa de jantar havia alface, pasta de soja, uma sopa sem graça de alga marinha, mas sem carne de porco nem ameijôas e kimchi.* E isso era tudo.

---

* Condimentos feitos com hortaliças, geralmente consumidos com acelga.

"É sério, isso? Quer dizer que você jogou todas as carnes fora por causa da porcaria de um sonho? E quanto valia tudo o que foi desperdiçado?"

Eu me levantei da mesa e fui abrir a geladeira. Estava completamente vazia. Só tinha cereais tostados em grãos, pimenta em pó, chili congelado e um saquinho de alho moído.

"Faça ao menos um ovo frito. Hoje estou exausto. Nem almocei direito."

"Joguei fora também."

"O quê?"

"Também vou parar de beber leite."

"Mas isso é um absurdo! Está dizendo para eu não comer mais carne também?"

"Eu não consigo deixar aquelas coisas na geladeira. Não as suporto."

Como podia ser tão egoísta? Encarei-a. Ela estava olhando para baixo, mais serena do que de costume. Fiquei espantado. Não sabia que ela tinha um lado tão egoísta e irresponsável. Tão irracional.

"Então, daqui pra frente não vamos mais comer carne nesta casa?"

"Mas aqui você só toma café da manhã mesmo. Pode comer carne a hora que quiser no almoço e no jantar… Não vai morrer só porque não come carne pela manhã."

Ela disse tudo isso com calma, com a postura de quem acha que sua escolha é lógica e completamente razoável.

"Está bem. Por mim, tudo bem. Mas e você? Você não vai mais comer carne?"

Ela assentiu com a cabeça.

"É mesmo? Até quando?"

"Para sempre."

Fiquei sem palavras. Eu já tinha ouvido falar que estava na moda ser vegetariano. Com o objetivo de ter uma vida mais longa, de mudar o metabolismo e se livrar das alergias. Os monges budistas em retiro também são vegetarianos, mas eles têm um propósito maior, o de não causar danos a seres vivos. Mas de onde vinha aquela postura extravagante da minha mulher? Ela não era mais adolescente, não precisava perder peso nem tinha que se curar de alguma doença, e mesmo assim tinha resolvido mudar de hábitos alimentares depois de um pesadelo. Nem estava possuída por um demônio! Como podia ser tão teimosa e ignorar completamente a opinião de seu marido?

Eu teria compreendido aquilo, caso minha mulher detestasse comer carne desde o começo, mas ela era boa de garfo, mesmo antes de nos casarmos. Esse foi um dos fatores que me agradaram especialmente: ela virava a costela na chapa com facilidade e dava gosto vê-la cortar a carne com jeito, segurando o pegador com uma mão e a tesoura grande com a outra. Depois de nos casarmos, aos domingos preparava pratos muito saborosos, como uma adocicada barriga de porco no molho de gengibre moído e xarope de milho. Também sabia preparar com destreza — era sua especialidade — carne cortada em tirinhas e temperada com pimenta e sal, com brotos de bambu e óleo de gergelim, empanada com arroz viscoso para ser assado como se fossem pequenos crepes. Também não era de jogar fora o frango com batatas cortadas em grossas fatias. Uma vez cheguei a comer de uma só vez três porções mergulhadas num molho puxado e picante.

Mas olhe só para o jantar que ela tinha preparado agora. Sentada de lado na cadeira, estava levando para a boca colheradas de sopa de alga marinha claramente sem sabor, enquanto enrolava pasta de soja e arroz numa folha de alface, enchendo a bochecha e mastigando.

Eu não sabia absolutamente nada sobre aquela mulher — foi o pensamento que de repente me ocorreu.

"Não vai comer?", ela perguntou, com a voz vulnerável de uma velhinha que pariu e criou uns quatro filhos.

Não dava a menor importância para mim, que estava parado de pé, vendo-a mastigar, de forma barulhenta e por um bom tempo, um pedaço de acelga com kimchi.

A primavera chegou, e minha mulher continuou assim. Passamos a comer somente verdura pela manhã. Até parei de reclamar. Quando uma pessoa muda de forma radical, não há outro remédio senão segui-la.

Começou a emagrecer. As maçãs do rosto, que já eram grandes, ficaram horrivelmente marcadas. Sem maquiagem, a pele dela era pálida como a tez de um doente. Se ao parar de comer carne todo mundo perdesse peso como ela, ninguém esquentaria a cabeça para fazer dieta. Mas de uma coisa eu sabia: ela não estava perdendo peso por ser vegetariana. Era por causa dos sonhos. Aliás, ela praticamente não dormia mais.

Minha esposa estava longe de ser uma pessoa inquieta. Quando eu voltava tarde da noite, muitas vezes ela já estava dormindo. Mas agora, mesmo quando eu chegava depois da meia-noite, tomava uma ducha e ia me deitar, ela não vinha dormir. Não que estivesse lendo um livro ou em algum chat da internet ou varando as noites diante da tevê a cabo. E o trabalho de digitar falas dentro dos balões não devia ser tão volumoso assim.

Ela só se deitava por volta das cinco da madrugada, revirava-se na cama durante uma hora e em seguida levantava, soltando um gemido curto. De cabelo desarrumado, pele do rosto áspera e olhos avermelhados, lá estava ela, me esperando na mesa de café da manhã. Não comia nada.

O que me incomodava mais é que ela não queria mais fazer sexo comigo. Antes, costumava aceitar sem reclamar quando eu tinha vontade e, às vezes, ela mesma começava, bolinando meu corpo. Mas agora, só de eu encostar a mão no seu ombro, ela já se esquivava silenciosamente. Um dia perguntei o motivo.

"Qual é o problema?"

"Estou cansada."

"É por isso que falo que você tem que comer carne. Você não tem forças porque não come. Antes não era assim."

"É que..."

"O que foi?"

"Você tem cheiro."

"Cheiro de quê?"

"Carne. Seu corpo cheira a carne."

Dei uma sonora gargalhada.

"Você não viu que acabei de sair do banho? De onde você pode sentir esse cheiro em mim?"

Sua resposta foi cortante. "De todos os seus poros."

Às vezes um mau presságio me vinha à mente. E se isso for o primeiro sintoma de uma paranoia, um delírio ou uma neurastenia, doenças mentais que até agora eu só conhecia de ouvir falar?

Mas era difícil concluir que estivesse possuída por algum tipo de loucura. Ela era de poucas palavras, como sempre, e no fim das contas mantinha a casa sempre bem-arrumada. Nos finais de semana preparava dois pratos de ervas ou verduras e fazia um chop suey com cogumelos, em vez de carne. Considerando que o vegetarianismo estava na moda, não era nada de outro mundo. O único problema é que ela não conseguia dormir; ficava com cara de quem está perdida, como se fosse esmagada por algo logo de manhã. Quando eu perguntava o que ela tinha, respondia apenas que tinha sido "um sonho". Eu não perguntava como eram aqueles sonhos;

não estava nem um pouco disposto a ouvir outra história sobre um celeiro no bosque escuro e o rosto dela refletido numa poça de sangue.

Mergulhada nesses pesadelos e num sofrimento que eu desconhecia — e que não podia nem tinha a menor vontade de conhecer —, ela continuou a definhar. Tornou-se tão magricela quanto uma bailarina; no fim acabou ficando puro osso, como uma pessoa doente. Toda vez que maus pressentimentos me acometiam, pensava que meus sogros — donos de uma serraria e uma mercearia numa pequena cidade do interior —, meus cunhados e seus cônjuges — todos boa gente — pareciam estar longe de ter genes que pudessem provocar problemas mentais.

Cada vez que pensava na família dela, imediatamente a associava com a fumaça e o odor de alho queimado. Enquanto revezavam copos de soju e fritavam a carne, as mulheres batiam papo animadamente na cozinha. Toda a família — especialmente meu sogro — era apreciadora de carne; minha sogra sabia cortar peixe em finas lâminas para fazer sashimi e minha cunhada e minha esposa eram mestras em fazer picadinho de frango usando enormes cutelos. Eu admirava a autossuficiência de minha esposa, que era capaz de matar baratas com as próprias mãos, como se não fossem nada. Afinal eu não a tinha escolhido com cuidado por ser a mulher mais comum do mundo?

Ainda que na verdade seu estado fosse muito suspeito, eu hesitava em considerar um exame ou um tratamento. Embora eu andasse por aí dizendo que uma doença não é nenhum defeito, o dizia por acreditar que isso afetava mais os outros do que a mim. Para ser honesto, me custava tolerar as situações muito insólitas.

Na manhã do dia anterior ao sonho, eu estava cortando carne congelada. Você me apressou, irritado.

"Droga, por que está demorando tanto?"

Você sabe que fico nervosa quando você me apressa. Fico perdida, como se fosse outra pessoa. Aí me atrapalho ainda mais. Rápido. Mais rápido. A mão que segurava a faca ficou com pressa e minha nuca ficou quente. De repente, a tábua de cortar deslizou para a frente. Foi aí que eu me cortei e a faca de cozinha perdeu um dente.

Quando levantei o dedão, uma gota de sangue escuro brotou rapidamente. Era redonda, bem redonda. Quando enfiei o dedo na boca, fiquei em paz. Coisa estranha, parecia que aquela cor vermelho-sangue e o seu gosto levemente adocicado me acalmavam.

Você cuspiu o segundo pedaço de carne que estava mastigando. Pegou um objeto brilhante e gritou comigo.

"O que é isto?! É um pedaço de faca!"

Eu fiquei só olhando, enquanto você ficou todo agitado, com o rosto contorcido.

"O que aconteceria se eu tivesse engolido?! Eu quase morri!"

Por que será que não fiquei surpresa nesse momento? Muito pelo contrário, fiquei ainda mais tranquila. Era como se uma mão gelada tivesse pousado no meu coração. Como se a maré estivesse baixando, tudo o que estava me envolvendo saiu deslizando. A mesa de refeição, você, todos os móveis da cozinha. Era como se apenas eu e a cadeira na qual estava sentada tivéssemos sobrado num espaço infinito.

Foi na madrugada seguinte que vi pela primeira vez o meu rosto na poça de sangue do celeiro.

"Por que seus lábios estão assim? Não se maquiou?"

Arranquei os sapatos e entrei em casa. Minha esposa estava de pé, vestida com uma gabardine preta e com um ar atordoado. Eu a levei para o quarto.

"Você ia mesmo sair desse jeito?"

Nossas imagens apareciam refletidas no espelho.

"Vá se maquiar de novo."

Ela se livrou da minha mão silenciosamente. Pegou o pó compacto e massageou a esponja contra o rosto. O pó pairou no ar e ela ficou com a cara de uma boneca de pano. Enfim a palidez do rosto melhorou quando passou o batom de um coral intenso nos lábios acinzentados. Respirei aliviado.

"Estamos atrasados. Apresse-se", eu disse, indo na frente e abrindo a porta de casa.

Enquanto apertava o botão do elevador, fiquei observando, inquieto, minha esposa calçar lentamente seu tênis azul-escuro. Gabardine com tênis? Não parecia combinar, mas não havia outro jeito. Ela não tinha outros sapatos porque jogou fora todos os feitos de couro.

Assim que entrei no carro já ligado, sintonizei na rádio com notícias do trânsito. Prestando atenção para obter informações sobre o tráfego nos arredores do restaurante onde meu chefe reservara uma mesa, coloquei o cinto de segurança e soltei o freio de mão. Minha esposa ocupou o assento ao lado com sua gabardine e pôs o cinto de segurança.

"A gente tem que fazer bonito hoje. Você precisa se comportar. É a primeira vez que o presidente da companhia me convida para jantar. Isso significa que ele tem uma boa opinião a meu respeito."

Graças ao atalho que peguei, conseguimos chegar em cima da hora no lugar combinado. Logo de cara dava para ver que o restaurante estava localizado num imóvel de luxo, com dois andares e amplo estacionamento.

Fazia frio, apesar de estarmos na primavera. Minha esposa, de pé num canto do estacionamento, com sua fina gabardine e tomando o vento da tarde, parecia desamparada. Não havia me dirigido a palavra durante todo o trajeto. Mas eu sabia que ela era assim mesmo e acabei não dando muita atenção. "Se não falar nada, será melhor. Os velhos gostam de mulheres caladas", pensei, e assim me livrei com facilidade da ligeira preocupação que isso me suscitou.

Já estavam lá o presidente, o diretor, o gerente e suas respectivas esposas. O vice-diretor e sua esposa chegaram logo atrás de nós. Depois de nos cumprimentarmos com acenos de cabeça e trocarmos alguns sorrisos, tiramos o casaco e o penduramos. Seguindo as instruções de nossa anfitriã, que tinha sobrancelhas cuidadosamente afinadas e usava um colar de contas de jade, chegamos a uma comprida mesa de banquete. Todos pareciam familiarizados com o local e confortáveis, como se frequentassem o restaurante com assiduidade. Sentando no lugar que havia sido reservado para mim, observei o teto decorado como o de uma casa tradicional: os peixes coloridos nadavam num aquário de pedra. Sem querer, olhei para minha mulher e acabei vendo seus peitos.

Ela usava uma blusa preta levemente agarrada. Seus mamilos estavam salientes. Não havia dúvida, ela não estava usando sutiã. Quando movi a vista para observar os outros, dei de cara com a esposa do diretor. Então pude ver através dos olhos dela, disfarçados de indiferença, a surpresa, a descrença e o desprezo, tudo acompanhado de um pouco de hesitação.

Ruborizei. Então tentei me recompor, percebendo todos os olhares direcionados para minha esposa, que, sentada, tinha um ar ausente e não participava da conversação animada das outras mulheres da mesa. Agir da forma mais natural possível me pareceu o melhor que podia fazer naquele momento.

"Não teve dificuldades para achar o restaurante?", me perguntou a esposa do chefe.

"Já tinha passado por aqui antes. Fiquei encantado com o jardim e tinha muita vontade de conhecê-lo por dentro."

"Ah, sério? O quintal desta casa é mesmo um primor. De dia fica ainda melhor. Da janela é possível ver os canteiros de flores."

Quando a comida começou a ser servida, rompeu-se a tensa corda que eu estava sustentando.

O primeiro prato era um tangpyeong-chae.* Era um prato bonito, feito de fatias finas de verduras, shiitake e carne bovina. Minha esposa, que até então não tinha dito uma palavra, falou baixinho ao garçom que estava prestes a servi-la:

"Não vou comer."

Embora tenha proferido essas palavras num tom bem baixo, todos pararam o que estavam fazendo, estupefatos. Ao perceber tantos olhares inquisidores, ela disse num tom um pouco mais alto.

"Não como carne."

"Quer dizer que é vegetariana?", perguntou-lhe, um tanto galante, o chefe. "No exterior há bastante gente que segue o regime vegetariano mais restrito. Acho que só agora esse estilo de vida começa a ganhar adeptos em nosso país. Principalmente porque agora a mídia tem criticado quem come carne... Não me parece absurda a ideia de que para se ter uma vida mais longa é preciso deixar de comer carne."

"Ainda assim, como se pode viver sem comer nada de carne?", disse a esposa do chefe, com um sorrisinho no rosto.

---

* Prato da cozinha coreana consumido pela realeza, feito com gelatina de amido de feijão, brotos de feijão, agrião, pimenta e algas marinhas. É temperado com vinagre, molho de soja e óleo de gergelim.

Enquanto o prato da minha esposa permanecia vazio, o garçom serviu os outros nove comensais e se retirou. O tema da conversa naturalmente convergiu para o vegetarianismo.

"Viram que há pouco descobriram a cabeça de um hominídeo de quinhentos mil anos? Carregava vestígios de ter se alimentado de carne. Comer carne faz parte da nossa natureza. O vegetarianismo vai contra nossos instintos. Não é algo natural."

"Ultimamente parece que há quem seja adepto do vegetarianismo por uma questão de compleição física. Eu mesmo fui a vários consultórios para checar qual é o meu tipo de compleição, mas em cada um deles me disseram uma coisa diferente. Seguindo as orientações que recebi, a cada consulta eu mudava o cardápio da minha dieta. Mas nunca me sentia plenamente bem... Hoje acho que o melhor mesmo é comer de tudo, sem distinção."

"São saudáveis aqueles que não têm restrição alguma de comida, não é mesmo? É prova de que o corpo e a mente estão saudáveis", disse a esposa do diretor, enquanto ele olhava de soslaio para os seios da minha mulher. No fim, ela lançou suas flechas diretamente contra minha esposa.

"Por que você virou vegetariana? Por uma questão de saúde ou de religião?"

"Por nenhuma das duas", respondeu em um tom de voz tranquilo e espontâneo, como se não atentasse para a importância de se estar naquele lugar. De súbito senti um calafrio, afinal instintivamente eu sabia o que ela diria em seguida.

"É que... eu tive um sonho."

Para abafar suas palavras, emendei:

"Por anos a minha esposa sofreu com problemas gástricos. Por causa disso não conseguia dormir bem. Ela melhorou bastante depois de parar de comer carne, seguindo as recomendações de um especialista."

Foi só então que as pessoas começaram a assentir com a cabeça.

"Que bom. Até hoje eu não tinha dividido uma refeição com um vegetariano de verdade. Seria terrível comer ao lado de alguém que tem nojo de carne. Os que são vegetarianos por motivos espirituais certamente desprezam aqueles que a consomem, não é mesmo?"

"Deve ser como quando se devora um sambal nakji* fresco enrolado no palitinho, enquanto a mulher da frente fica nos encarando, como se estivesse vendo um animal."

Todos caíram na gargalhada. Unindo-me a eles no riso, percebi que minha esposa não estava rindo. Sem prestar a menor atenção ao que estava acontecendo ao redor, ela apenas observava o óleo de gergelim do tangpyeong-chae brilhando nos lábios dos outros, sem dar ouvidos a nenhuma conversa que pairava no ar. E isso estava deixando todos desconfortáveis.

O próximo prato era um kampung-gi** e, em seguida, veio sashimi de atum. Enquanto os outros comiam, minha esposa não mexeu nem um dedo. Com seus mamilos bem evidentes por baixo da blusa, parecendo pequenas bolotas, ficou observando meticulosamente os lábios e os movimentos de todos, como se os estivesse sugando.

Até o fim da série de dezenas de pratos luxuosos, tudo o que minha esposa comeu foi salada, kimchi e creme de abóbora. Não tocou nem mesmo no creme com bolinhas de arroz glutinoso de sabor único, porque estavam imersos em caldo de carne. Os presentes conduziram cada vez mais as conversas, fazendo de conta que ela não estava lá. De vez em quando me faziam perguntas, mais por compaixão, porém

---

* Polvo condimentado com pimenta. ** Frango à milanesa banhado em molho agridoce, feito com molho de soja, vinagre e açúcar.

senti que estavam querendo manter distância de mim também, considerando-me da mesma espécie que ela.

Quando serviram a sobremesa, minha mulher comeu apenas maçã e laranja. Um pedaço de cada.

"Não está com fome? Você quase não comeu...", preocupou-se a esposa do meu chefe, em um tom de voz animado e gentil.

Sem sorrir, sem ficar vermelha e sem titubear, ela a encarou, sem dizer nada. Essa atitude deixou todos arrepiados. Será que minha esposa tinha ideia de onde estávamos? Será que sabia quem era aquela mulher elegante e madura que lhe dirigia a palavra? De um segundo para outro, aquela mente, à qual eu nunca tivera acesso, o seu interior, me pareceu uma armadilha sem fundo.

Eu tinha que fazer alguma coisa.

Foi o que pensei enquanto dirigia de volta para casa naquela noite, sentindo terrivelmente que tudo estava perdido. Já ela parecia calma. Parecia não fazer a menor ideia do que tinha feito. Ficou com a cabeça apoiada na janela, como se estivesse cansada ou com sono. Se eu agisse como estava acostumado, teria me enfurecido. "Quer que seu marido seja demitido? O que pensa que está fazendo?"

Mas senti que de nada adiantaria. Nenhum ataque de fúria ou argumento conseguiria comovê-la. Já tinha passado o momento em que eu podia fazer algo.

Depois de tomar banho e colocar a camisola, minha mulher foi para o escritório, em vez de ir para o quarto. Fiquei zanzando pela sala e em seguida peguei o telefone. Minha sogra atendeu a ligação. Embora ainda fosse cedo para se estar dormindo, sua voz parecia sonolenta.

"Está tudo bem com vocês? Há tempos que não mandam notícias..."

"Sinto muito... Andei muito ocupado com o trabalho. Meu sogro está bem?"

"Continuamos na mesma vidinha. Como vai o trabalho?"

Hesitei, mas acabei me abrindo:

"Eu vou bem, mas Yeonghye..."

"O que ela tem? Aconteceu alguma coisa?", perguntou ela, em tom de preocupação. Minha sogra não costumava demonstrar muito carinho por sua segunda filha, mas pelo visto o laço de sangue falou mais alto.

"Ela diz que não quer mais comer carne."

"Como assim?"

"Ela não come mais nada de carne e vive só de vegetais. Já faz meses."

"Mas por quê? Para fazer dieta ou algo assim eu sei que não é."

"Não sei. Ela não me escuta de jeito nenhum. Eu mesmo não coloco na boca um pedaço de carne em casa faz tempo."

Minha sogra ficou sem palavras. Aproveitei o momento e fui mais fundo:

"Ela está muito fraca."

"Não acredito! Ela está perto de você? Se sim, passe o telefone para ela."

"Já está dormindo. Vou dizer a ela que lhe telefone amanhã."

"Não, deixe. Eu mesma telefono amanhã de manhã. Não sei o que pode estar acontecendo com ela... Sinto muito por você."

Depois de desligar, procurei na agenda o número de minha cunhada. Atendeu gritando "alô!" seu filho de três anos.

"Deixe eu falar com sua mãe."

Minha cunhada se parecia com minha esposa, mas era mais bonita: tinha olhos maiores e, acima de tudo, era mais feminina. Ela atendeu o telefone:

"Alô?"

As conversas telefônicas com minha cunhada, que fala com um leve tom anasalado, me provocavam certa tensão erótica. Contei a ela o que se passava, como fiz com minha sogra. Desliguei o telefone depois de constatar o mesmo espanto por parte dela, depois de ouvir os mesmos pedidos de desculpa e as mesmas promessas de ajuda. Também pensei em telefonar para o irmão caçula de minha esposa, mas achei que estava exagerando e deixei pra lá.

Sonhei outra vez.

Alguém matou uma pessoa e outro alguém escondeu o corpo, sem deixar rastros. No momento em que acordei, porém, me esqueci do sonho. Fui eu que cometi o crime? Ou fui eu a vítima? Se era a assassina, quem matei? Você, talvez? Era alguém muito próximo. Ou então foi você que me matou...? E quem terá sido a pessoa que escondeu o cadáver? Com certeza não era eu nem você. Usaram uma pá, disso tenho certeza. O assassinato foi cometido com um golpe na cabeça, com uma pá bem grande, a mesma usada para cavar a terra. Um estrondo pesado e surdo. Senti a vibração do ar no instante em que o ferro atingiu o crânio. Lembro-me muito bem da sombra se formando na escuridão.

Esta não é a primeira vez que sonho isso. Já sonhei várias vezes. Assim como, quando estamos embriagados, nos lembramos de todas as outras vezes em que bebemos demais, quando sonho, me recordo de todas as ocasiões anteriores em que estive sonhando. Por incontáveis vezes, alguém matou alguém. Nada é muito claro, é tudo confuso... Mas me lembro de tudo com uma palpável e estarrecedora sensação de realidade.

Duvido que você consiga entender. Faz tempo que me dá medo ver alguém manejando uma faca sobre a tábua de corte. Pode ser minha irmã, minha mãe: não importa. Não sei explicar. Só sei dizer que é uma sensação insuportável. Justamente por isso sou sempre gentil com essas pessoas. Mas não estou dizendo que, em meu último sonho, o assassino ou a vítima era minha mãe ou minha irmã. Apenas a sensação é parecida, uma sensação horripilante, nojenta, terrível e cruel. Como se eu tivesse matado alguém. Ou como se alguém tivesse me matado. Algo impossível de se imaginar se não tivesse sido experimentado... É decisivo, decepcionante e morno, como o sangue que ainda não esfriou.

Por que será? Tudo parece desconhecido para mim, como se olhasse para as coisas de longe. Como se estivesse presa atrás de uma porta sem maçaneta. Não é bem isso... Será que sempre estive ali e só agora me dou conta? Tudo está escuro e esmagado.

Ao contrário do que eu esperava, as tentativas de minha sogra e minha cunhada não surtiram efeito algum sobre o costume alimentar de minha esposa. Todo fim de semana, a mãe dela telefonava para perguntar:

"Yeonghye continua sem comer carne?"

Até meu sogro, que nunca nos procurava, repreendeu minha esposa severamente. Seus gritos de cólera escaparam do telefone a ponto de eu escutá-los.

"O que pensa que está fazendo? Vamos supor que você esteja bem com isso, vá lá. Mas como é que fica Jeong, que está no auge da forma física?"

Sem dizer nem sim nem não, minha esposa permaneceu com o gancho do telefone encostado na orelha.

"Por que não me responde? Está me ouvindo?"

A panela de sopa começou a ferver. Ela então deixou o telefone sobre a mesa e foi para a cozinha, em silêncio. E não voltou mais. Peguei o aparelho para falar com o coitado do meu sogro, que estava gritando sozinho:

"Sinto muito..."

"Não, filho, eu é que peço desculpas."

Fiquei surpreso com seu pedido de desculpas, pois meu sogro era um homem muito autoritário; palavras de compaixão não combinavam com ele. Em cinco anos de casado, nunca o ouvira falar naquele tom. Havia lutado na Guerra do Vietnã e por isso recebido uma medalha de honra ao mérito, seu orgulho máximo. Sua voz era trovejante e sua obstinação, tão forte quanto. Dúzias de vezes escutei a mesma história, que começava assim: "Na guerra, matei sete vietcongues e...". Dava surras de varinha em minha mulher até que ela tivesse seus dezessete anos de idade.

"Mês que vem vamos a Seul. Aí terei uma boa e longa conversa com ela."

Minha sogra fazia aniversário em junho. Como os pais de minha mulher viviam muito longe, os filhos — moravam todos em Seul — enviavam presentes pelo correio e davam os parabéns apenas a distância. No entanto, aproveitando que a família de minha cunhada havia se mudado para um lugar maior no começo de maio, seus pais viriam conhecer a casa nova e celebrar o aniversário. O encontro, programado para o segundo domingo de junho, seria o maior evento familiar em anos. Ninguém falou do assunto às claras, mas estava óbvio que esse seria o dia em que a família iria questionar fortemente o comportamento de minha mulher.

Não sei se minha esposa esperava por isso; o fato é que passava os dias em total indiferença. Exceto por sua recusa em transar comigo — ela inclusive passou a dormir de calça jeans —, vistos de fora, ainda parecíamos um casal normal. A diferença é que ela definhava mais e mais a cada dia, e quando eu me levantava ainda de madrugada, tateando para desligar o despertador, lá estava ela, deitada na escuridão, rígida e com os olhos arregalados. Depois do jantar promovido pelo presidente da empresa, meus colegas me evitaram por um tempo, mas, depois que o projeto coordenado por mim trouxe lucros consideráveis, tudo pareceu cair no esquecimento.

Em certas ocasiões cheguei a pensar que não era tão ruim assim viver com uma mulher esquisita. Vivíamos como dois estranhos. Estranhos, não: ela era como uma irmã que faz comida e limpa a casa. Ou uma criada mesmo. Mas na minha idade, apesar do casamento morno, ficar em abstinência sexual por muito tempo era difícil de aguentar. Nas noites em que voltava tarde depois de um jantar de negócios, eu me jogava sobre ela, com a desculpa da embriaguez. Chegava até a sentir uma inesperada excitação ao tirar a calça dela, segurando seus braços, que resistiam. Dizia-lhe obscenidades a meia-voz; ela resistia bravamente, mas a cada três tentativas eu conseguia penetrá-la ao menos uma vez. Durante a penetração, ela ficava olhando para o teto, em meio ao escuro, com uma expressão vazia, como se fosse uma escrava sexual em tempos de guerra. Assim que eu terminava, ela se deitava de lado, me dando as costas, e escondia o rosto com o lençol. Em seguida, eu entrava no banho, e ela parecia se limpar. Quando eu voltava para a cama, ela já estava outra vez deitada de barriga para cima, com os olhos fechados, como se nada tivesse acontecido. Então me vinha uma inexplicável sensação de que algo ruim ia acontecer. Nunca fui do tipo de ter esses achaques, mas o silêncio e a escuridão do quarto me davam calafrios.

Na manhã seguinte, era impossível não dirigir à minha mulher um olhar aborrecido. Ela, no entanto, permanecia sentada à mesa do café da manhã, com a boca cerrada e com cara de que nada do que eu dissesse faria diferença. Ficava encarando seu rosto de perfil, incapaz de não sentir um profundo ódio pela cena. Era irritante aquela expressão de sofrimento, de quem parecia ter padecido todos os males do mundo.

Quatro dias antes da reunião familiar, em Seul fazia um calor excessivo para aquela época do ano; quase todos os grandes edifícios e estabelecimentos comerciais estavam com seus aparelhos de ar condicionado ligados. Depois de um dia inteiro exposto ao ar gelado do escritório, voltei cansado para casa. Assim que vi minha esposa, ao entrar no apartamento, fechei a porta apressadamente — fiquei com medo de que algum vizinho a visse: usando apenas uma calça de algodão cinza, sem nada na parte de cima, ela descascava batatas sentada no chão, apoiada no móvel da tevê. Abaixo da clavícula bem marcada, viam-se seus seios, que mal pareciam os de antes, por causa da magreza excessiva.

"Por que está sem roupa?", perguntei, me esforçando para sorrir.

"Porque faz muito calor", me respondeu ela, mantendo a cabeça baixa, sem interromper o que estava fazendo.

"Levante a cabeça", eu disse entredentes, apenas para mim mesmo. "Levante a cabeça e sorria. Mostre que isso não passa de uma piada." Mas ela não sorriu. Eram oito da noite; a porta da sacada estava aberta. Não fazia calor no apartamento. Seus ombros estavam até arrepiados. As cascas de batata estavam amontoadas em cima de uma folha de jornal, e, ao lado, mais de trinta batatas formavam um pequeno monte.

"O que vai fazer com tanta batata?", perguntei, fingindo calma.

"Assar e comer."

"Tudo isso?"

"Sim."

Esbocei um sorriso bobo e esperei que ela sorrisse junto. Mas ela não sorriu. Nem sequer levantou o rosto para me olhar.

"É que me deu fome."

Em meus sonhos, quando corto a cabeça de alguém com uma faca, quando não consigo cortá-la de uma ponta à outra e seguro-a pelos cabelos para assim finalizar o corte, quando coloco os glóbulos oculares escorregadios na palma da mão, inclusive quando acordo... Mesmo quando estou consciente... Quando me dá aquela vontade de estrangular as pombinhas que desfilam diante de mim... Quando quero esganar o gato do vizinho, depois de observá-lo por muito tempo... Quando minhas pernas tremem e suo frio. Quando sinto que virei outra pessoa. Quando outra pessoa sai de dentro de mim e me devora... Em todos esses momentos...

... sinto a saliva se acumular na boca. Quando passo na frente de um açougue, tenho que tapar a boca com as mãos, por causa da saliva que brota a partir da raiz da língua; por causa da saliva, que vaza e escorre pelos lábios.

Se eu pudesse dormir, se pudesse ficar inconsciente por apenas uma hora... Acordo incontáveis vezes e vagueio pela casa com os pés descalços, sinto-a gelada à noite. Tão gelada quanto arroz frio, sopa fria. Não consigo enxergar nada pela janela escura. Às vezes ouço alguém bater na porta, mas não há ninguém do outro lado. Quando volto para a cama e coloco a mão debaixo do cobertor, já está tudo frio outra vez.

Já não consigo dormir mais que cinco minutos. Assim que caio no sono, começo a sonhar. Não: nem sequer posso chamar isso de sonho. Não passam de cenas curtas que me assaltam de forma intermitente. Olhos ferozes de alguém animal. Imagens sangrentas. Um crânio aberto de algum e, de novo, os olhos ferozes de algum animal. Olhos que parecem ter nascido de minhas entranhas. Quando desperto, tremendo, verifico minhas mãos, para ver se as unhas estão normais. Se meus dentes estão inteiros.

Só confio nos meus peitos. Gosto dos meus peitos, porque com eles não posso matar nada nem ninguém. Afinal, mãos, pés, dentes e língua, qualquer coisa com apenas três centímetros, tudo pode servir de arma, é capaz de matar e machucar. Até mesmo o olhar. Os peitos, não. Enquanto eu tiver esses seios redondos, estarei bem. Ainda estou bem. Mas por que será que meus peitos estão diminuindo? Já nem são mais arredondados. Por quê? Por que estou emagrecendo? Estou ficando tão afiada; será para cortar o quê?

Era um apartamento bem iluminado, no décimo sétimo andar, com a face virada para o sul. Apesar de o prédio da frente barrar a vista, dava para ver a montanha por trás dele.

"Não preciso mais me preocupar com vocês. Estão bem encaminhados na vida", disse meu sogro, levando a colher à boca.

Meus cunhados compraram o apartamento com a renda da loja de cosméticos que minha cunhada tocava mesmo antes de se casar. Ela triplicou as instalações da loja, até engravidar. Depois de ter o bebê, só passava brevemente por lá, à tarde, para gerenciar as coisas. Agora que o filho tinha completado três anos e começou a ir para uma creche, ela voltou a cuidar da loja o dia todo.

Eu sentia inveja do marido de minha cunhada, irmã mais velha da minha mulher. Ele frequentou a faculdade de artes plásticas e dava uma de artista, mas a verdade é que não fazia nada de útil para contribuir com o sustento da família. Dizem que vive de herança, mas gastar sem trabalhar tem seus limites. Entretanto, como minha cunhada arregaçou as mangas, ele pode tranquilamente passar a vida toda fazendo "arte". Além disso, minha cunhada cozinha bem, como antes costumava cozinhar bem a minha esposa. Quando vi a mesa de almoço posta, cheia de pratos apetitosos, minha boca se encheu de água. Notei o corpo de minha cunhada, bem fornido na medida certa, seu jeito gentil de falar, seus olhos grandes, e então lamentei pelas muitas coisas que estava deixando de desfrutar na vida.

Sem nem ao menos elogiar a casa nova ou parabenizar a irmã pelo esforço no preparo da refeição, minha esposa comeu em silêncio um pouco de kimchi e de arroz. Não havia mais nada ali que ela pudesse comer. Como não consumia maionese à base de ovo, não encostou nem na salada, que parecia uma delícia.

Por causa da insônia de tantos dias, o rosto de minha esposa estava escuro como carvão. Se algum desconhecido a visse, pensaria que estava doente. Como sempre, não estava usando sutiã sob a camiseta branca, o que fazia com que seus mamilos, amarronzados como manchas, fossem notados. Assim que chegamos, minha cunhada de imediato a levou ao quarto, mas, a julgar por sua expressão na volta, a mais nova deve ter se negado a colocar um sutiã.

"Quanto pagaram pelo apartamento?"

"... É mesmo? Entrei num site de imóveis ontem e vi que este apartamento já valorizou cerca de cinquenta milhões. Parece que uma estação de metrô também vai ficar pronta aqui perto, no ano que vem, não é?"

"Você sabe fazer negócio, cunhado."

"Não fiz nada. Minha esposa foi quem cuidou de tudo."

Entre os adultos, uma conversa banal e agradável, sobre coisas da vida prática, ia e vinha, enquanto as crianças faziam barulho, batendo umas nas outras e enchendo a boca de comida. Então perguntei:

"Cunhada, foi você quem preparou toda a comida?"

Ela esboçou um meio sorriso.

"Fui fazendo aos poucos, desde anteontem. Aliás, fiz questão de buscar ostras frescas na feira e prepará-las do jeito que Yeonghye gosta... Mas ela nem tocou nelas."

Fiquei em silêncio. Enfim, havia começado.

"Espere um pouco. Yeonghye, achei que já tivéssemos conversado o bastante..."

Depois da severa repreensão de meu sogro, foi a vez de minha cunhada criticá-la, mas com um tom mais ameno:

"Aonde você pretende chegar com tudo isso? Nosso corpo precisa de determinados nutrientes... Se quer aderir ao vegetarianismo, faça isso de forma mais adequada. Olhe só para sua cara..."

A mulher do meu cunhado também opinou:

"Eu não a reconheci quando a vi. Já sabia de tudo, mas não tinha ideia de que virar vegetariana estava fazendo tão mal à sua saúde."

"Vamos acabar com isso já! Nem se vivêssemos em tempos de vacas magras, ora. Coma isto, isto e isto. Vamos, coma tudo. Mas que besteira é essa?", disse com firmeza minha sogra, colocando diante dela um pedaço de carne frita, o frango ensopado e o macarrão com polvo.

"O que está esperando? Coma logo", apressou meu sogro com sua voz de trovão.

"Coma, Yeonghye. Se comer, vai recuperar as forças. Nós, seres humanos, precisamos de energia para viver. Os monges só conseguem ser vegetarianos porque fazem votos de castidade e buscam a iluminação através do sofrimento", argumentou minha cunhada, sempre amável.

Com olhos arregalados, as crianças observavam minha esposa. Ela ficou encarando os familiares com uma cara de boba, como quem é pego de surpresa, sem entender nada.

Depois de alguns segundos de tenso silêncio, notei as expressões de cada um dos presentes: o rosto de meu sogro, escurecido pelo sol; o de minha sogra, inquieto e tão cheio de rugas que ela parecia nunca ter sido jovem; as sobrancelhas de minha cunhada, elevadas pela preocupação; a postura de mero espectador de meu cunhado; e o olhar tímido, porém descontente, do irmão caçula e de sua mulher. Eu esperava que minha esposa falasse alguma coisa. No entanto, ela pousou os palitinhos sobre a mesa e, com esse único gesto, não respondeu ao pedido unânime e mudo que sua família lhe lançava.

Para quebrar tamanho desconforto, minha sogra pegou um pouco de carne de porco banhado em molho agridoce com os palitinhos e, colocando-os na frente da boca da minha esposa, disse:

"Vamos, tome. Abra a boca. Coma."

Permanecendo de boca fechada, minha esposa a olhou com cara de quem não entendia o que estava acontecendo.

"Abra a boca agora. Você não quer isto? Então coma isto", disse a mãe, desta vez oferecendo-lhe carne bovina frita. Vendo que tampouco surtia efeito, tentou com ostra temperada.

"Você gostava tanto quando era criança... Dizia que queria comer isso até se fartar..."

"É verdade, me lembro também. Por isso sempre penso em você quando vejo ostras em algum lugar", reforçou minha cunhada, como se o fato de minha esposa não comer ostras fosse o mais preocupante.

À medida que os palitinhos com ostra temperada se aproximavam de sua boca, minha esposa se curvava cada vez mais para trás.

"Meu braço está doendo. Coma logo..."

O braço da minha sogra realmente começou a tremer. Finalmente, minha esposa se levantou.

"Não vou comer."

Pela primeira vez, fez uma afirmação clara.

"Como é?!", gritaram em uníssono meu sogro e o filho caçula, ambos donos do mesmo temperamento explosivo. A esposa do irmão segurou imediatamente seu braço.

"Não aguento mais ver isso! Acha que estou brincando? Quando mando comer, você come!", disse o pai.

Imaginei que ela diria "Sinto muito, papai. Mas não consigo". Em vez disso, respondeu sem se lamentar ou se desculpar:

"Não como carne."

Minha sogra perdeu as esperanças e abaixou os palitinhos. Tive a impressão de que seu rosto envelhecido cairia em prantos a qualquer momento. Um novo silêncio, que podia explodir subitamente, perdurou mais um pouco. Então meu sogro apanhou os palitinhos, pegou outro pedaço de porco agridoce, contornou a mesa e parou diante da filha.

Seu corpo era forte, fruto do trabalho duro de uma vida inteira, mas tinha as costas encurvadas pela inevitável passagem dos anos. Colocou a carne de porco bem na frente do rosto da filha.

"Coma. Ouça o que eu digo e coma. Estamos fazendo isso por você. O que vai fazer se acabar doente?"

Dizia aquelas palavras em tom amoroso e paternal, e acabei ficando com os olhos marejados. Provavelmente todos sentiram o mesmo.

"Pai, eu não como carne", disse minha esposa ao empurrar a mão trêmula do pai, que segurava os palitinhos no ar.

Subitamente, a palma forte de meu sogro rasgou o ar e minha mulher cobriu o rosto.

"Pai!", gritou minha cunhada, e imediatamente segurou-lhe o braço. Os lábios dele tremiam de raiva. Eu sabia que tinha sido muito violento, mas era a primeira vez que o via bater em alguém.

"Jeong, meu genro, e meu filho: venham aqui, vocês dois."

Com passos vacilantes, me aproximei de minha esposa. O golpe fora tão forte que ela tinha a face vermelha. Parecia que só então tinha perdido a calma e respirava ofegante.

"Segurem os braços dela."

"O quê?"

"Se comer de novo, vai voltar a comer carne como antes. Onde já se viu gente que não come carne hoje em dia?!"

Contrariado, o irmão caçula levantou-se.

"Vamos, mana, coma de uma vez. Basta dizer que sim e fingir que está comendo. Não complique as coisas... Precisa mesmo chegar a esse ponto na frente de nosso pai?!"

"Quem mandou você abrir a boca? Segure o braço dela! Você também, meu genro!", gritou o pai.

"Pai, por que está fazendo isso?", disse minha cunhada, segurando o braço dele. Ele jogou os palitinhos longe, pegou pedaços de carne de porco com a própria mão e se aproximou de minha esposa. Ela, desajeitada, tentou dar uns passos para trás, mas seu irmão a deteve:

"Mana, colabore: coma. Pegue a carne você mesma e coma."

Como a força com que o irmão segurava minha esposa era maior do que a de minha cunhada agarrando o braço do pai, meu sogro se desvencilhou da filha e encostou os palitinhos na boca da filha vegetariana. Ela fechou a boca com firmeza e soltou um gemido. Parecia querer dizer alguma coisa, mas não abria a boca, com medo de que, se o fizesse, enfiassem comida nela.

"Papai, pare com isso, por favor", implorou minha cunhada.

Meu sogro pressionou a carne de porco agridoce contra a boca de minha mulher, que se agitava em sofrimento. Com seus dedos grossos, ele abriu os lábios dela, mas não conseguiu entreabrir os dentes fortemente cerrados. Cego de raiva, deu-lhe uma nova bofetada.

"Pai!", gritou o irmão caçula, tentando impedir um novo golpe, embora continuasse a prender o braço da irmã.

Minha cunhada se jogou e segurou o pai pela cintura. Mas no momento em que a boca de minha esposa se abriu, meu sogro enfiou à força o pedaço de porco agridoce. Diante da investida, o irmão caçula amenizou a força no braço e minha esposa reagiu, cuspindo o alimento. Um grito animalesco explodiu de sua boca:

"Me deixem em paz!"

Minha esposa então agachou-se; parecia que ia fugir pela entrada da casa, mas em vez disso deu meia-volta e pegou a faca de picar frutas que estava na mesa.

"Yeo... Yeonghye...!", gemeu minha sogra, com um tom de desespero que trincou o silêncio tenso do ambiente. As crianças começaram a chorar.

Apertando os dentes e olhando cada um de nós nos olhos, minha esposa ergueu a faca:

"Não..."

"Fujam!"

O sangue jorrou do pulso de minha esposa, como se saísse de uma fonte, e tingiu de vermelho a louça branca sobre a mesa. Ela então desmoronou no chão, de joelhos, permitindo que meu cunhado, que até o momento não tinha sido mais do que um espectador de toda aquela cena, tirasse a faca de suas mãos.

"Por que estão aí, parados? Tragam já uma toalha ou qualquer outro pano!", gritou.

Exibindo sua experiência em treinamentos antiassaltos, ele estancou com rapidez e destreza o sangramento do pulso de minha esposa e a levantou no colo.

"E você, aí, vamos! Desça logo e ligue o carro!", deu a ordem, dirigindo-se a mim.

Desajeitado, procurei por meus sapatos. Depois de me enganar duas vezes de par, os calcei e saí correndo para abrir a porta do apartamento.

... o cachorro que arrancou um naco da minha perna está amarrado à moto de meu pai. Queimaram os pelos de sua cauda e os colocaram na ferida da minha panturrilha, com uma faixa de curativo por cima. Tenho nove anos de idade e estou de pé, no portão de casa. É um dia quente de verão. Mesmo parada, o suor não para de escorrer dos meus poros. O cachorro está com a língua vermelha de fora e respira ofegante. É um cachorro branco e bonito, maior do que eu. Até ele morder a filha do dono, todos da vizinhança diziam que era muito inteligente.

Meu pai disse que não vai pendurá-lo numa árvore para grelhá-lo, porque ouviu de alguém que cachorros que morrem correndo têm a carne mais macia. Meu pai dá a partida na motocicleta e começa a correr com ela. O cachorro corre junto. Dá duas, três voltas pelo bairro, fazendo o mesmo caminho. Sem me mexer, continuo no portão de casa e observo o cachorro branquelo cansar-se mais e mais, ofegante, ficando de olhos revirados. Cada vez que meus olhos encontram os dele, brilhantes, os meus arregalam-se.

Cachorro mau, como pôde me morder?

Na quinta volta, sai espuma da boca do cachorro. Sangue escorre por seu pescoço, amarrado pela corda. Gemendo de dor, ele corre tentando não ser arrastado. Na sexta volta, vomita sangue. Sai sangue pela boca e pelo pescoço. Sangue misturado com bolhas da baba. Fico ereta, observando seus olhos brilhantes. Quando espero pela sétima volta, vejo meu pai carregando o cachorro na moto, estirado. Suas patas balançam. Vejo seus olhos abertos, com sangue parado neles.

Naquela noite, houve um banquete em nossa casa. Vieram todos os trabalhadores do mercado, conhecidos de meu pai. Disseram que, para curar a ferida causada pela mordida do cachorro, eu devia comer um pouco de sua carne. Foi o que fiz. Para falar a verdade, comi bastante de sua carne, misturada com arroz. Os pelos não tinham amenizado o fedor da gordura por completo, o *que incomodava o nariz. Por cima da sopa com arroz, vi refle-tida a imagem de seus olhos, os mesmos com os quais me enca-rava enquanto corria, vomitando sangue e espuma. E não senti nada demais. Nada demais mesmo.*

As mulheres permaneceram em casa tomando conta das crianças, que tinham ficado muito assustadas, e o irmão caçula acudiu minha sogra, que desmaiou. Eu e meu con-cunhado levamos minha esposa até o pronto-socorro mais próximo. Só depois de passado o perigo e de ela ter sido transferida para um quarto duplo é que percebemos que nossas roupas estavam sujas de sangue seco.

Minha esposa por fim dormia com uma agulha de soro injetada no braço direito. Ficamos olhando para seu rosto adormecido, como se a resposta para tudo aquilo estivesse escrita nele, como se pudéssemos decifrar essa resposta.

"Vá para casa descansar", eu disse a meu cunhado, que consentiu. Ele parecia querer dizer algo, mas se calou. Tirei do bolso vinte mil wones e dei a ele:

"Não volte para casa do jeito que está... Passe em alguma loja e compre roupas novas."

"Mas e você? Bem, mando uma muda de roupa quando minha mulher vier."

Minha cunhada, o irmão caçula e a esposa chegaram à noite ao hospital. Disseram que meu sogro continuava ner-voso, mas estava tentando descansar um pouco. Minha so-gra tinha insistido em acompanhá-los, mas eles a proibiram terminantemente.

"Como uma coisa tão terrível assim pôde acontecer... Ainda mais na frente das crianças...", disse a mulher de meu cunhado. Seus olhos estavam inchados e sem ma-quiagem. Talvez tivesse chorado, por causa do choque. Continuou:

"O pai de vocês também foi longe demais. Como pôde bater na filha daquele jeito, e na frente do marido!? Ele sempre foi assim?"

"Você conhece bem o gênio dele... Tinha até melhorado, com a velhice...", respondeu minha cunhada. "Além do mais, Yeonghye nunca havia levantado a voz para ele, sempre foi muito mansa. Isso certamente o fez perder as estribeiras."

"Tudo bem, forçá-la daquele jeito foi um exagero, mas por que ela se recusou tanto a comer? E por que fez o que fez com a faca...? Nunca vi isso em toda minha vida. Com que cara vai olhar para o marido?", continuou a mulher do irmão caçula.

Enquanto minha cunhada estava concentrada na irmã, eu troquei de camisa e fui para uma sauna nas redondezas. O sangue escuro endurecido escorreu com a água morna da ducha. Senti olhares intrigados lançados sobre mim e tive vontade de vomitar. Fiquei com nojo daquilo tudo. Não parecia real. Mais do que estupefação ou embaraço, odiei minha esposa com todas as minhas forças.

Depois que a família foi embora, no quarto ficamos eu, uma estudante, que tinha sofrido uma perfuração intestinal, a família dela e minha mulher. Fiquei ao lado da cabeceira dela, percebendo olhares e cochichos. Logo o domingo acabaria e chegaria a segunda-feira, e eu não precisaria mais acompanhar minha mulher. No dia seguinte minha cunhada me renderia e no outro minha esposa já teria alta. Ter alta. Isso significava morar sob o mesmo teto que aquele ser esquisito e terrível. Para mim, era difícil de aceitar.

Voltei ao hospital às nove da noite do dia seguinte. Minha cunhada me recebeu com um sorriso no rosto.

"Está cansado, não está?"

"Seu filho não veio?"

"Está com o pai."

Se tivesse surgido algum convite para beber, eu nem teria voltado. Mas era segunda-feira, dia ruim para sair. Até mesmo os trabalhos urgentes tinham acabado nos últimos tempos, me deixando sem desculpas para passar a noite no escritório.

"E ela? Como anda?"

"Dormindo. Não responde quando falo com ela. Mas se alimentou bem... Acho que vai ficar boa logo."

O jeito atencioso de falar tão característico de minha cunhada sempre me comoveu e conseguiu até mesmo acalmar meus nervos. Meia hora depois nos despedimos e, quando estava prestes a afrouxar o nó da gravata, alguém bateu à porta: era minha sogra, a quem eu não esperava.

"Não sei bem como pedir desculpas...", disse-me assim que me viu.

"Não fale assim, por favor. Como está se sentindo? A senhora melhorou?"

Ela deu um longo suspiro.

"As coisas que tenho que aguentar na minha idade...", queixou-se, me oferecendo a sacola que carregava.

"O que é isso?"

"Preparei em casa, antes de vir para Seul. Imagino que você deve estar sem forças, depois de ficar sem comer carne por tantos meses... Comam juntos. É caldo de cabra negra. Trouxe escondido, para que minha outra filha não visse. Fale para Yeonghye que é um bom remédio. Cozinhei com muitas ervas, para encobrir o cheiro de carne. Yeonghye já parecia um fantasma, de tão magra; com a perda de sangue, então..."

Fiquei sem palavras diante de um amor materno tão obstinado.

"Aqui não deve ter micro-ondas, certo? Vou dar uma olhada na sala dos enfermeiros", disse ela, saindo com um pote plástico nas mãos, dos muitos que havia trazido.

Sentindo que meus nervos, apaziguados pelas palavras de minha cunhada, se agitavam novamente, apertei com força a gravata. Depois de um breve momento, minha esposa acordou. Melhor não estar sozinho com ela acordada, pensei, reconsiderando assim a presença de minha sogra.

O olhar dela encontrou a mãe antes de pousar em mim, embora eu estivesse ao lado de seus pés. Minha sogra, que estava entrando no quarto, fez um gesto de alegria, mas a expressão de minha esposa era difícil de ler. Como passou o dia todo dormindo, seu rosto parecia tranquilo e, graças ao soro intravenoso — ou ao que pudesse estar provocando o inchaço —, tinha as faces saudáveis e rosadas.

Com um copo fumegante em uma das mãos, minha sogra segurou a mão da filha com a outra.

"Minha filha…", disse minha sogra com os olhos cheios de lágrimas. "Experimente isso. Veja como você está…"

Minha esposa obedeceu e pegou o copo.

"É um remédio caseiro. Preparei para fortalecer a saúde de vocês. Você tomou isso antes de se casar, lembra-se?"

Minha esposa aproximou o copo do nariz e balançou a cabeça.

"Não é remédio caseiro."

Com uma expressão serena e triste, os olhos cheios de algo parecido a pena, minha esposa esticou o braço e devolveu o copo para a mãe.

"É remédio, sim. Tampe o nariz e tome tudo num gole só."

"Não vou tomar."

"Tome. É sua mãe que te pede. Desejo a gente atende até de gente morta, não se diz por aí?"

Minha sogra aproximou o copo da boca da filha.

"É mesmo remédio caseiro?"

"Estou dizendo que sim."

Depois de hesitar, ela tampou o nariz e tomou um gole do líquido preto. Contentíssima, minha sogra gritava "mais, mais!". Dentro das pálpebras sobrepostas, seus olhos brilhavam.

"Termino de tomar depois", disse minha esposa e em seguida se deitou de novo.

"O que você quer comer? Quer que traga algum doce, para tirar o gosto ruim?"

"Não, pode deixar."

Mesmo assim, minha sogra me perguntou onde ficava a lanchonete do hospital e saiu apressadamente. Em seguida, Yeonghye afastou o lençol e se levantou.

"Aonde você vai?"

"Banheiro."

Eu a acompanhei, segurando a bolsa de soro. Ela me pediu para pendurar a bolsa de soro dentro do banheiro e trancou a porta. Alguns gemidos depois, botou tudo o que estava no estômago para fora.

Saiu do banheiro, com passos vacilantes. Cheirava a azedo. Como eu não a ajudei com a bolsa de soro, ela mesma a carregou com a mão enfaixada, mas a uma altura mais baixa que a necessária, fazendo com que o sangue começasse a refluir. Ela caminhou desajeitada até a sacola em que estavam os potes com sopa de cabra negra que minha sogra deixara no chão. Agarrou a sacola com a mão direita, a que tinha a agulha do soro, mas parecia não se importar. Saiu do quarto, e eu não fiz questão de verificar o que ela pensava em fazer.

Depois de um tempo, minha sogra entrou correndo no quarto e bateu a porta com tanta força que a estudante e sua mãe franziram a testa. Em uma mão trazia um saquinho de biscoitos e, na outra, a sacola de papel, visivelmente manchada pelo líquido preto.

"Por que ficou só olhando, Jeong? Você devia saber o que ela pretendia fazer, não é?"

Minha vontade era sair correndo dali e ir para casa.

"Você tem ideia de quanto vale isso? E ia jogar fora? Eu e seu pai gastamos um dinheiro muito suado. E ainda diz que é minha filha!", esbravejou minha sogra com a filha.

Minha esposa estava arqueada no pé da porta e seu sangue refluía de volta para a bolsa de soro.

"Olhe só para você. Se não voltar a comer carne, o resto do mundo vai te devorar. Olhe para o espelho. Veja só sua cara!"

Minha sogra foi baixando o tom da voz até reduzi-la a um choro fraco. Mas, como se não reconhecesse a mulher que estava chorando, minha esposa passou por ela e foi se deitar. Puxou os lençóis até a altura do peito e fechou os olhos. Foi só então que ergui a bolsa de soro, tingida pela metade de vermelho vivo.

Não sei por que aquela mulher está chorando. Não sei por que ela me olha com cara de quem quer me engolir. Nem sei por que, com a mão trêmula, acaricia o curativo do meu pulso.

Meu pulso está bem. Não sinto nenhuma dor. É o peito que me dói.

Tenho alguma coisa entalada na boca do estômago. Não sei o que é. Mas está sempre aqui. Mesmo depois de parar de usar sutiã, não deixei de sentir esse incômodo. Por mais que respire fundo, esse aperto no peito não passa.

Gritos e choros se sobrepõem e ficam encravados aqui. É por causa da carne. Comi carne demais. Todas essas vidas estão entaladas aqui. Tenho certeza. Sangue e carne foram digeridos e se espalham por todos os cantos do meu corpo; os resíduos foram colocados para fora, mas as vidas insistem em obstruir o plexo solar.

Ao menos uma vez, uma única vez, eu queria gritar bem alto. Queria sair voando pela janela escura deste quarto. Será que assim essa massa que me aperta o peito vai sair do meu corpo? Será que isso é possível?

Ninguém pode me ajudar.
Ninguém pode me salvar.
Ninguém pode me fazer respirar.

Quando voltei, depois de me despedir de minha sogra, que foi embora num táxi, o quarto estava escuro. Incomodadas com o falatório, a estudante e sua mãe tinham resolvido desligar a televisão, apagar a luz e fechar a cortina, embora ainda não fosse tarde. Minha esposa dormia. Eu me deitei pateticamente na cama de acompanhante e tentei dormir. Não fazia a menor ideia de como ajeitar a situação. Mas uma coisa era certa: eu não permitiria que aquilo continuasse a acontecer comigo.

Acabei adormecendo e sonhei que matava alguém. Usei uma faca para abrir-lhe a barriga e arrancar os intestinos sinuosos; arranquei-lhe toda a pele e os músculos, deixando apenas os ossos, mas esqueci completamente quem era a vítima no momento em que acordei.

O dia já amanhecia, mas ainda estava escuro. Num impulso inexplicável, resolvi tirar os lençóis de cima de minha esposa. Tateei seu corpo em meio à escuridão. Não estava empapado de sangue nem tinha suas entranhas para fora. Da cama ao lado, pude ouvir uma respiração ofegante, mas minha esposa, misteriosamente, estava silenciosa. Tremendo, estiquei meu dedo indicador e o coloquei sob seu nariz. Ela estava viva.

Voltei a dormir e quando acordei de novo o quarto já estava claro.

"O senhor estava dormindo tão pesado que nem percebeu quando trouxeram a refeição", disse a mãe da jovem colegial, num tom lamurioso. Olhei para a mesinha em cima da cama. Aonde teria ido minha esposa, sem nem mesmo ter destampado o pote de arroz? Tinha arrancado o soro, e a agulha manchada de sangue pendia do tubo plástico.

"Para onde foi a minha esposa?", disse eu, limpando a baba da boca.

"Quando acordamos já não estava."

"O quê? Podia ter me avisado, poxa."

"É que o senhor estava dormindo tão pesado... Achamos que tinha lá seus motivos para sair", defendeu-se a mãe da jovem, que tinha ficado vermelha, como quem está irritada ou sem graça.

Ajeitei um pouco a roupa e saí correndo. Olhava para um lado e para o outro enquanto passava com pressa pelos corredores compridos do hospital até o elevador, mas ela não estava em canto algum. Fiquei apreensivo. Tinha avisado o escritório que chegaria duas horas mais tarde, para assim cuidar do processo de alta médica. Na volta para casa, gostaria de dizer à minha mulher — e a mim mesmo — que tudo aquilo não tinha passado de um sonho.

Peguei o elevador e fui para o térreo. Ela também não estava no saguão. Depois de procurar por todos os lugares, saí sem fôlego para o jardim, onde pacientes davam uma volta logo após o desjejum. Estavam lá para desfrutar do frescor momentâneo da manhã. Deviam estar internados havia muito tempo, porque tinham o semblante solitário e cansado, mas pareciam estar em paz. Quando me aproximei da fonte, que estava seca, vi um grupo de pessoas cochichando. Aproximei-me, abrindo espaço entre elas.

Minha esposa estava sentada no banco contíguo à fonte. Estava sem a parte de cima da bata hospitalar, que colocara sobre os joelhos, deixando à vista de todos sua clavícula ossuda, os seios definhados e os mamilos marrom-claros. Tinha tirado o curativo do pulso esquerdo e lambia devagar a região dos pontos, como se dela escorresse sangue. Um raio de sol cobria seu rosto e o torso nu.

"Desde quando ela está assim?"

"Meu Deus... Ela deve ter escapado da ala psiquiátrica... Tão jovem!"

"O que ela tem nas mãos?"

"Não tem nada nas mãos."

"Não, parece que está segurando algo, sim."

"Ah, olhem lá. Estão vindo agora."

Ao virar a cabeça, pude ver um enfermeiro e um segurança de meia-idade, ambos com a expressão séria, correndo em nossa direção.

Fiquei observando a cena fingindo ser um dos desconhecidos, um dos tantos curiosos que se amontoavam ali. Olhei para o rosto cansado de minha esposa e seus lábios molhados de sangue tal qual uma mancha de batom. Então meu olhar cruzou com o dela, com seus olhos brilhantes, como se estivessem úmidos.

"Não conheço essa mulher", pensei. Era verdade. Mas impulsionado pelo senso de responsabilidade, me aproximei, mesmo sentindo que minhas pernas resistiam.

"O que está fazendo aí, querida?", sussurrei em seu ouvido enquanto pegava a bata hospitalar de seus joelhos e cobria os seios murchos.

"Eu estava com calor...", ela disse, sorrindo de leve. Era o bom e velho sorriso simples, que eu julgava conhecer tão bem. "Eu só tirei a bata porque estava com calor...", continuou, usando o pulso talhado para proteger o rosto do sol. "Fiz mal?"

"Você não pode fazer isso, entendeu?", a censurei enquanto abria à força sua mão direita, da qual caiu um passarinho que ela estrangulara. Era um pequeno olho-branco e lhe faltavam penas em alguns lugares. Tinha uma visível marca de dentes, pela qual escorria sangue.

II
A mancha mongólica

Cortinas de um roxo intenso fecharam o palco. Dançarinos seminus acenaram até desaparecer. O público aplaudiu com entusiasmo e ouviam-se gritos esporádicos de "bravo!", mas não houve bis. As aclamações cessaram aos poucos; os espectadores começaram a recolher seus pertences, procurando a saída. Ele também descruzou as pernas e se levantou. Durante os cinco minutos de aplausos, não bateu palmas nem uma vez. De braços cruzados, ficou observando em silêncio os olhos e os lábios dos dançarinos, sedentos por ovações. Sentiu compaixão e ao mesmo tempo respeito por eles, mas não queria que seus aplausos chegassem ao coreógrafo.

Enquanto passava pelo saguão do teatro, deu uma espiada nos cartazes do espetáculo, que já não tinham nenhuma função. Por coincidência, havia visto um na livraria da cidade, e sentiu o corpo estremecer. Com medo de perder a última apresentação, telefonou apressado para fazer uma reserva. No cartaz estavam um homem e uma mulher nus, sentados e levemente inclinados, deixando as costas à mostra. Os dois tinham, do pescoço até as nádegas, desenhos de flores vermelhas e azuis, além de caules e folhas abundantes. Diante do pôster, sentira medo, excitação e sobressalto. Não conseguia acreditar que a ideia que o acompanhava havia um ano tinha sido apresentada por alguém completamente desconhecido como aquele coreógrafo. Será que a imagem com a qual havia sonhado seria mostrada conforme idealizou? Quando as luzes se apagaram e o espetáculo começou, ele estava tão nervoso que não conseguia sequer beber um gole de água.

No entanto, suas expectativas não se cumpriram. Evitando as pessoas pomposas do mundo da dança que lotavam o hall de entrada, vestidas com luxo exibicionista, ele seguiu em direção à saída que dava acesso ao metrô. A música eletrônica que começara a preencher o teatro, aqueles figurinos extravagantes, os decotes excessivos e os gestos sensualizados, nada daquilo era o que ele estava procurando. Buscava algo mais calmo, mais íntimo, cativante e profundo.

O metrô de domingo à tarde estava quase vazio. Com o programa do espetáculo nas mãos, que na primeira página levava a foto do cartaz impressa, ele caminhou até a saída. Em casa o esperavam sua esposa e o filho de cinco anos. Mesmo sabendo do desejo da esposa de aproveitarem o domingo juntos, ele dedicou metade do dia ao espetáculo. Teria valido a pena? Ganhou mais uma desilusão, mas se deu conta de que precisava pôr sua ideia em prática. Nenhuma outra pessoa poderia levar seu sonho a cabo. Teve a mesma sensação amarga de tempos atrás, quando vira uma videoinstalação com uma ideia semelhante, obra de um artista japonês. Nela, cenas de uma orgia mostravam uma dúzia de homens e mulheres com o corpo inteiro pintado trocando toques e carícias ao som de músicas psicodélicas. Pareciam peixes fora d'água, se debatendo o tempo todo. É claro, ele também sentia o mesmo tipo de sede, mas não queria expô-la tanto. Tinha certeza disso.

Quando se deu conta, já estava chegando à estação de metrô próxima ao condomínio onde morava. Mas nunca tivera a intenção de descer. Meteu de qualquer jeito o programa do espetáculo na bolsa que carregava no ombro, enfiou as mãos no bolso da jaqueta e olhou para o interior do vagão refletido na janela. Aceitou sem dificuldade o fato de que era um homem de meia-idade que escondia os cabelos, cada vez menos abundantes, sob um boné de beisebol e a barriga saliente sob a jaqueta.

Por sorte, a porta do ateliê estava trancada. As tardes de domingo eram praticamente o único período em que ele podia trabalhar em paz. Durante uma campanha de grandes empresas para arrecadar fundos para projetos artísticos, uma delas selecionou alguns videoartistas, entre os quais ele, para lhes oferecer um espaço de vinte e cinco metros quadrados no subsolo de um edifício, além de um computador para cada um. Era muito bom poder usar equipamentos de última geração, sem custos, mas sua personalidade delicada só conseguia se concentrar quando estava sozinho, por isso ele sofria terrivelmente em meio aos outros.

Com um clique leve e alegre, a porta do ateliê se abriu. Tateou a parede no escuro e acendeu a luz. Trancou a porta, tirou o boné, a jaqueta, e largou a bolsa no chão. Tapando a boca com as mãos, passeou pelo estreito corredor. Sentou-se na cadeira diante da mesa do computador e cobriu a testa com as mãos. Abriu a bolsa e pegou o programa do espetáculo ao qual assistira havia pouco, um caderno de rascunhos e a fita master, adesivada com seu nome, endereço e número de telefone. Nela estava o original de todo o trabalho de vídeo que ele tinha realizado em mais de dez anos. Já haviam se passado dois anos desde a última vez que gravara um trabalho. Dois anos não chegava a ser um intervalo mortal, mas era suficiente para deixar ansioso qualquer artista.

Abriu o caderno de rascunhos, contendo dezenas de esboços que, se não tinham a mesma atmosfera e estilo do cartaz do espetáculo, partiam da mesma ideia, estava claro. Corpos nus de homens e mulheres, pintados com pétalas de flores, em posições explicitamente sexuais. Os músculos tensos, as nádegas contraídas... Não fosse pelos torsos esquálidos, comuns em dançarinos, não passariam de típicos desenhos pornográficos japoneses.* Os corpos — eles não tinham rosto — eram tão serenos e firmes que quase escamoteavam todo o erotismo da situação.

A imagem surgira de repente em sua cabeça no último inverno, quando começou a pressentir que finalmente ficaria para trás o estado de estagnação criativa que perdurava havia mais de um ano. Sentia que a energia voltava a aumentar aos poucos dentro de si. Só não tinha previsto que a imagem seria tão avassaladora. Seus trabalhos anteriores eram bem realistas. Tinha retratado em imagens 3-D o dia a dia monótono e desgastado da sociedade pós-capitalista, de modo que aquela criação sensual — puramente sensual — lhe parecia quase monstruosa.

A tal imagem poderia nunca ter lhe surgido se, naquela manhã de domingo, sua esposa não tivesse lhe pedido para dar banho no filho; se depois de envolver o filho numa toalha grande, vendo a esposa vestir nele uma cueca, ele não tivesse dito a ela: "A mancha mongólica dele ainda está muito grande. Quando será que isso vai desaparecer?". Se sua mulher não tivesse respondido sem pensar muito: "Não sei bem... A Yeonghye, por exemplo, teve a mancha até os vinte". Se ele não tivesse dito "Até os vinte?!", e se ela não tivesse devolvido em seguida: "Sim... Era do tamanho de um polegar, em tom esverdeado. Se tinha a mancha até essa idade, ainda deve ter".

---

* No original, *shunga*: desenhos de temática sexual, muito populares no Japão dos séculos XVII, XVIII e XIX.

Foi nesse instante que lhe veio a imagem de uma flor azul-esverdeada, da cor do mar, saindo do meio das nádegas de uma mulher. A possibilidade de sua cunhada, irmã mais nova de sua esposa, ainda ter a mancha mongólica na bunda o intrigou. Inexplicavelmente, ele associou a informação à ideia de homens e mulheres, com flores pintadas pelo corpo, copulando, formando em sua cabeça uma clara relação de causa e efeito.

A mulher de seus rascunhos não tinha rosto, mas era, sim, sua cunhada. Ou melhor, tinha que ser ela. A primeira vez que a desenhou, imaginando seu corpo nu, que nunca tinha visto, e estampando nele uma pequena mancha azul no meio das nádegas, experimentou uma leve excitação, acompanhada de uma ereção. Ele não experimentava uma coisa assim, provocada por algo definido, desde que tinha se casado, com trinta e poucos anos. Então, quem era o homem sem rosto que abraçava aquela mulher, como se a estivesse esganando enquanto a penetrava? Tinha que ser ele. Ele sabia disso muito bem. Quando chegou a essa conclusão, seu rosto se contorceu.

Por muito tempo buscou um jeito de escapar daquela imagem. Mas não havia saída. Não havia no mundo outra representação tão forte e atraente como aquela. Faltava-lhe vontade de trabalhar em qualquer outra coisa. Todas as exposições, filmes ou espetáculos aos quais assistia lhe pareciam sem graça, por um único motivo: não era aquela imagem.

Sonhava acordado com maneiras de torná-la real. Pediu a um amigo desenhista que lhe emprestasse seu ateliê e nele instalou iluminação, preparou recipientes com tintas especiais para pintura corporal e estendeu um lençol branco para cobrir o chão... Quando acertou tudo mentalmente, percebeu que restava a parte mais importante: convencer a irmã mais nova de sua esposa. Afligiu-se por um longo tempo, tentando substituí-la por outra mulher, mas por fim parou para se perguntar como faria para filmar e dirigir algo para além da mera pornografia. Não apenas a cunhada se recusaria; outras mulheres também. Poderia contratar uma atriz profissional oferecendo uma alta quantia? Supondo que conseguisse filmar o que queria, depois de muitas concessões, poderia expor o resultado? Já tinha pensado nas represálias que poderia sofrer ao retratar artisticamente assuntos polêmicos, mas nunca tinha passado por sua cabeça ser acusado de produzir material pornográfico. Sempre trabalhou com muita liberdade, sem a consciência plena de que talvez lhe faltasse liberdade ilimitada para criar.

Não fosse por aquela imagem, não estaria tão ansioso, sentindo-se desconfortável, inseguro e cheio de dúvidas agonizantes, nem teria motivos para se autocensurar. Também não estaria aterrorizado com a possibilidade de — bastava um passo em falso — pôr a perder tudo o que tinha conquistado até então, embora não fosse grande coisa. E esse "tudo" incluía até sua família.

Muitas coisas estavam se revolvendo dentro dele. Era mesmo um ser humano normal? Tinha a dose necessária de moral? Era forte o suficiente para ter pleno controle sobre si mesmo? Antes pensava ter todas as respostas. Mas não podia mais afirmar isso.

Assim que ouviu o barulho da porta se abrindo atrás de si, fechou o caderno de rascunhos e o puxou para perto. Não queria arriscar que o vissem. Para alguém acostumado a expor seus esboços e ideias, essa era uma experiência diferente.

"Camarada!"

Chegava ali um colega chamado J., mais jovem que ele, com o cabelo comprido amarrado num rabo de cavalo.

"Ora essa, achei que não haveria ninguém aqui hoje", disse ele, sorrindo e arqueando as costas para trás, para se mostrar descontraído. "Vai um café?", perguntou tirando moedas do bolso.

Ele assentiu com a cabeça. Enquanto J. foi colocar as cápsulas de café na máquina, ele passou os olhos pela oficina, que já não era mais toda sua. Ficou incomodado com a evidente falta de cabelo no topo da cabeça e colocou o boné de beisebol. Sentiu estar a ponto de soltar um berro, reprimido havia muito e que podia explodir como uma tosse. Guardou com pressa suas coisas na bolsa e saiu. Acelerou o passo para não cruzar com J., dirigindo-se com rapidez ao elevador que ficava no lado oposto ao da saída de emergência. Ao ver seu rosto refletido na porta do elevador, lisa como um espelho, notou os olhos avermelhados, como se tivesse acabado de chorar, mas não se lembrava de ter derramado uma lágrima sequer. Então teve vontade de cuspir naqueles olhos rajados de vermelho, vontade de esbofetear as próprias faces com a barba por fazer, até ver sangue sair delas, e de pisotear aqueles terríveis lábios, sujos e inflados pelo desejo.

"Você demorou", disse sua esposa, esforçando-se para esconder que estava chateada. O filho o recebeu sem muito entusiasmo e logo voltou a dar atenção à grua de plástico com a qual estava brincando.

A esposa era dona de uma loja de cosméticos nas imediações de uma universidade. Depois que o bebê nasceu, deixou o negócio a cargo dos funcionários e só passava lá à noite, para fechar o caixa. Mas em pouco tempo a criança foi para a creche, e ela voltou a tomar conta da loja pessoalmente. Por isso estava sempre cansada. Como era muito paciente, a única coisa que pedia ao marido era sua atenção aos domingos. "Preciso descansar um pouco... E você precisa ficar mais com a criança, não é?" Ele sabia que era a única pessoa que podia aliviar a carga da esposa. Dava graças a Deus por ela cuidar sozinha dos afazeres da casa e tocar o negócio, sem jamais se queixar. Mas recentemente, a cada vez que colocava os olhos nela, via apenas a imagem da cunhada e por isso já não tinha paz em casa, em nenhum momento.

"Já jantou?"

"Mais ou menos."

"Como mais ou menos? Você tem que se alimentar direito."

Indiferente, ele estudou o rosto cansado da esposa, que parecia ter se resignado diante da indolência do marido. A cirurgia de pálpebra para aumentar os olhos que ela fez aos vinte anos ficou bastante natural e deixou seu olhar mais profundo e definido. Tinha o rosto suave e o colo bonito. Sem dúvida seu aspecto afável contribuíra muito para o crescimento exponencial da loja, que ela abrira ainda solteira. No entanto, desde o começo ele sabia que algo nela não lhe agradava. Os traços de seu rosto — os olhos, o nariz e a boca —, seu porte físico e até sua personalidade sensata compunham a imagem feminina que ele idealizara havia anos. Por isso decidiu se casar com ela, sem se dar conta de que tudo aquilo era o de menos para ele. Fez a descoberta somente quando foi apresentado à cunhada, numa reunião familiar.

Admirou suas pálpebras sem dobras, sua voz direta e límpida, sem a nasalidade da voz da esposa, o jeito simples de se vestir e até mesmo as proeminentes maçãs do rosto, que lhe davam um caráter andrógino. Comparada à irmã mais velha, talvez fosse considerada menos bonita, mas ele sentiu nela a força selvagem de uma árvore que não teve os galhos podados. Mas tudo isso não queria dizer que se sentiu atraído por ela desde o começo. Apenas se deu conta de que gostava dela; percebeu que, mesmo sendo parecida com a irmã, a cunhada provocava nele uma sensação sutilmente diferente.

"Quer que prepare seu jantar ou não?", pressionou a esposa.

"Eu já disse que jantei."

Ele abriu a porta do banheiro, sentindo um imenso cansaço por causa do caos interno que o acometia. Quando acendeu a luz, ouviu os resmungos da esposa.

"Como se não bastassem minhas preocupações com a Yeonghye, você ainda fica sem dar notícias o dia todo. E o menino, que está gripado, não desgrudou de mim nem por um instante…"

Depois de um longo suspiro, gritou com o filho:

"O que está fazendo? Já falei para vir aqui tomar seu remédio!"

Como sabia que o filho não viria, por mais que ela gritasse, colocou o remédio em pó em uma colher e misturou com xarope de morango. Ao sair do banheiro, ele perguntou:

"O que tem sua irmã? Aconteceu alguma coisa de novo?"

"Jeong pediu o divórcio. Consigo compreender, mas é decepcionante. Bem, casamento não vale muito mesmo…"

"Você quer que eu…", gaguejou ele. "Quer que eu fale com ela?"

"Você faria isso?", perguntou ela, com o rosto radiante de repente. "Eu a convidei para ficar aqui em casa, mas não importa quantas vezes eu a chame, ela diz que não. Mas se você pedir… Ela não recusaria, nem que fosse por consideração. Se bem que ela já não tem consideração por mais ninguém. Não sei como pôde mudar tanto."

Ele ficou olhando o rosto da esposa, sempre tão atencioso e responsável, e observou como ela se aproximava do filho, segurando cuidadosamente a colher com remédio, para não derramar. "É uma boa mulher", pensou. Sempre foi. De tão boa, chegava a ser irritante.

"Falo com ela amanhã mesmo."

"Quer o número?"

"Não precisa, eu tenho."

Com o coração prestes a explodir, trancou-se no banheiro. Tirou a roupa enquanto observava a água caindo do chuveiro e batendo ruidosamente na banheira. Ele sabia que não fazia sexo com a esposa havia quase dois meses. E sabia também que não era por causa dela que estava tendo uma ereção.

Pensou na casa onde a cunhada morava e que ele havia conhecido na companhia da esposa; imaginou a cunhada sozinha, deitada e toda encolhida. Lembrou daquele corpo nu e ensanguentado em seu colo, do roçar de seios e nádegas, e pensou que bastava lhe arrancar as calças para ver a mancha mongólica esverdeada em sua bunda; então sentiu todo o sangue do corpo concentrado num único lugar.

Como se mastigasse uma desilusão, ele se masturbou em pé. Ao lavar o gozo que escorria pelas pernas, soltou um gemido que não era riso nem pranto: a água estava gelada.

Passaram-se dois verões desde que a cunhada cortara os pulsos na casa deles. Foi no almoço de aniversário da sogra, estavam todos reunidos, pouco depois de terem se mudado para um apartamento maior. A família de sua esposa sempre gostou muito de carne, mas a irmã mais nova tinha virado vegetariana de uma hora para outra e isso deixou todos desconfortáveis, a começar por seu sogro. Sua cunhada estava tão fraca que dava pena, por isso era compreensível que a família a criticasse. Mas o sogro, um ex-combatente na Guerra do Vietnã, esbofeteou a filha e ainda a fez comer carne à força. Foi uma cena tão absurda que era difícil acreditar que tinha mesmo acontecido.

O mais nítido e espantoso em sua memória, no entanto, era o grito que a cunhada soltou na ocasião. Depois de cuspir a carne, ela empunhou a faca de cortar frutas e lançou um olhar feroz a todos os membros da família. Seus olhos estavam esbugalhados e pareciam os de um animal encurralado.

Assim que o sangue jorrou dos pulsos dela, ele rasgou um pano fino, o amarrou sobre o corte e carregou no colo aquele corpo, que mais parecia um fantasma. Surpreso com o próprio reflexo e com sua determinação, saiu correndo em direção à garagem.

Enquanto observava a cunhada recebendo os primeiros socorros, ouviu dentro de si algo se mexer. Até hoje não consegue explicar com precisão o que foi aquilo. Diante de seus olhos, alguém tinha tentado tirar a própria vida, como se não valesse nada, e o sangue dessa pessoa encharcou sua camisa branca, misturando-se com seu suor e formando crostas marrons secas.

Esperava que ela sobrevivesse, mas ao mesmo tempo se perguntou o que isso significaria. O fato de ela tentar se matar o fez se sentir inútil. Ninguém podia ajudá-la. Todos — o pai, que a forçou a comer carne, o marido e mesmo os irmãos, que não se mexeram — tinham agido como completos estranhos ou até inimigos. Mesmo que ela se recuperasse, a situação não mudaria. Aquela tentativa de suicídio tinha sido um impulso, mas ela poderia muito bem tentar de novo. Dessa vez, ela conduziria tudo de forma mais meticulosa, de modo que ninguém interferisse. De repente, ele percebeu que preferia que ela não acordasse mais e que, se acordasse, fosse algo vago e sem sentido. Do contrário, seria melhor arremessá-la pela janela.

Depois de ter certeza de que a irmã da esposa estava fora de perigo, ele comprou roupas novas com o dinheiro que recebeu do concunhado. Mas em vez de jogar fora a camisa fedendo a sangue, a embolou de qualquer jeito e embarcou num táxi. Lembrou-se de repente de seu último trabalho e, sem explicação, sentiu um tormento insuportável. Havia caprichado na edição e na música, usando imagens de todas as coisas que odiava e que julgava falsas, como propagandas, novelas, noticiários, rostos de políticos, desastres em pontes, shoppings centers, lágrimas de indigentes e crianças com doenças incuráveis.

De repente ficou enjoado. O ódio, a desilusão e o sofrimento que aquelas cenas lhe causavam, as intermináveis horas que ele passava olhando para elas, para então chegar ao fundo desses sentimentos, apareciam em sua mente como uma espécie de autoviolência. No auge da agonia, pensou em abrir a porta do táxi, que ia em alta velocidade, e se atirar no asfalto. Não conseguia mais suportar aquelas imagens da realidade. Durante a edição, seu ódio por elas não parecia tão intenso. Ou então não tinha se sentido suficientemente ameaçado por elas. Mas naquele momento, dentro do táxi, sob o forte calor de uma tarde de verão e sentindo o cheiro desagradável do sangue da cunhada, ficou aterrorizado, sem conseguir respirar direito, e teve vontade de vomitar.

Foi então que pensou que, por um bom tempo, não seria capaz de realizar outros trabalhos. Estava esgotado, sem a menor vontade de pensar na vida, a ponto de todas as suas manifestações lhe serem insuportáveis. As obras às quais tinha se dedicado nos últimos dez anos estavam lhe virando as costas em silêncio. Não lhe pertenciam mais. Eram de outra pessoa, alguém conhecido, ou que acreditava conhecer.

Do outro lado da linha, sua cunhada não respondia. Com certeza estava ao telefone; dava para ouvir sua respiração, que, embora baixa, sobrepunha-se ao ruído ambiente.

"Alô", ela por fim falou, com muita dificuldade.

"Yeonghye, sou eu. Está me ouvindo? Sua irmã pediu que te procurasse...", disse ele, se sentindo péssimo por agir com tamanha falsidade e argúcia. "Ela está muito preocupada com você."

Ela soltou um breve suspiro do outro lado do telefone. Devia estar sem sapatos, como era seu costume. Depois de todos os acontecimentos, passou meses em tratamento numa clínica psiquiátrica. Durante esse tempo, a família toda tentava convencer o marido a reconsiderar o divórcio, mas Jeong dizia preferir internar-se ele mesmo num hospício a ter que voltar a conviver com Yeonghye.

O mês que conviveu com a cunhada, até ela alugar um quarto, não lhe pareceu difícil nem incômodo. Mas isso tinha sido antes de escutar a história da mancha mongólica. Tinha se acostumado a sentir pena dela, sem compreendê-la de verdade. Sempre fora uma mulher de poucas palavras e passava quase todos os dias na sacada, tomando os últimos raios do sol outonal. Amassava as folhas secas que caíam dos vasos ou projetava sombras no chão, abrindo as mãos como um leque. Quando a irmã mais velha estava ocupada, levava o sobrinho Jiwoo até o banheiro e lhe lavava o rosto, pisando no chão frio.

Parecia inacreditável que tinha tentado se matar e ficado com os seios à mostra diante de outros pacientes, no hospital. Sem dúvida fizera aquilo por causa da confusão mental, fruto da tentativa de suicídio. Até mesmo ele, que, todo ensanguentado, a levara correndo para o hospital, experiência que lhe deixou marcas tão profundas, tinha dificuldade de ver-se como a mesma pessoa. Sentia que tudo aquilo acontecera em outra vida.

Se ainda havia algo estranho nela, era o fato de continuar a não comer carne. Foi essa decisão — além de todos os seus comportamentos estranhos — o motivo do conflito com a família. Para o marido, a teimosia de não comer carne era a prova de que ela não tinha voltado ao normal.

"Ela parece mansa por fora, mas, por dentro, não. Sempre foi meio desligada, mas agora, com todos os remédios, está mais ausente ainda. Nada mudou, acreditem."

Isto era o que mais lhes perturbava: ver como o marido queria se livrar dela, como quem joga fora um relógio quebrado ou um aparelho defeituoso.

"Não pensem que sou uma pessoa cruel. Todo mundo sabe que a maior vítima dessa história sou eu."

Como era impossível não admitir que havia certa verdade naquela afirmação, ele manteve uma postura neutra, mas sua esposa, não. A irmã mais velha implorou ao cunhado que postergasse a assinatura do divórcio e refletisse melhor. Mas Jeong foi impassível.

Apagando da memória o rosto do marido de Yeonghye — desde que o conheceu, teve uma péssima impressão, por causa da testa estreita e do queixo pontudo, que o faziam parecer teimoso e intransigente —, ele telefonou outra vez para a cunhada.

"Yeonghye, responda alguma coisa. Qualquer coisa."

Quando já pensava em desistir, ela por fim falou:

"Estou com uma panela no fogão."

A voz dela tinha o peso de uma pluma. Não parecia estar chorando. Tampouco parecia a voz de uma pessoa doente, mas também não tinha nenhuma alegria ou jovialidade. Era a voz de alguém indiferente, que não pertencia a lugar algum.

"Preciso desligar o fogo."

"Yeonghye, eu...", disse ele, e de repente apressou-se, pois percebeu que ela ia colocar o telefone no gancho. "Posso ir aí agora? Você não vai sair, vai?"

Depois de um silêncio, a ligação caiu. Ele largou o aparelho. Tinha a mão encharcada de suor.

Todos aqueles pensamentos sobre sua cunhada começaram quando ouviu a esposa falar da mancha mongólica. Antes disso, nunca tinha sentido nada especial por ela. A excitação de agora surgia com força ao se lembrar do período em que ela esteve hospedada em sua casa. Não conseguia evitar de sentir um ardor quando ela, passiva, abria a mão para projetar leques de sombra na sacada; quando ele observava seu tornozelo branco à mostra enquanto ela lavava o rosto do sobrinho; quando ela via tevê, sentada de lado, com uma postura vulnerável; e sobretudo toda vez que pensava em suas pernas meio abertas e nos cabelos desarrumados: ficava excitado. Pairando sobre todas essas lembranças, estava a mancha mongólica esverdeada. Uma mancha sem função alguma, primitiva, existente apenas nas costas e nádegas de bebês e crianças. Sobrepondo-se à ternura com que, havia muito tempo, olhou para o bumbum macio do filho recém-nascido, as nádegas de sua cunhada produziam em sua mente uma luz brilhante.

Agora harmonizavam-se indissoluvelmente o fato de ela não comer mais carne, alimentando-se apenas de grãos, plantas e verduras cruas, com a imagem da mancha em formato de pétala verde-azulada. Pareceu-lhe que até mesmo o sangue que jorrou do pulso dela, encharcando sua camisa branca e depois formando uma massa marrom e compacta, era uma perturbadora e indecifrável pista de seu destino.

O quarto alugado pela cunhada ficava numa rua tranquila, próxima a uma universidade só para mulheres. Conforme recomendação da esposa, levava uma sacola cheia de frutas: tangerinas da ilha de Jeju, maçãs, peras e até mesmo morangos, que estavam fora da época. Doíam-lhe os braços e as articulações dos dedos.

Imaginar que a encontraria sozinha num quarto despertava nele uma espécie de terror; por isso passou a caminhar com passos hesitantes, parando diante do edifício. Deixou por um momento a sacola de frutas no chão, pegou o celular e discou seu número. Ela não atendeu até o décimo toque. Ele então pegou as frutas e começou a subir as escadas. Chegou ao segundo andar e apertou a campainha, que soltou uma nota musical. Como previu, não houve resposta. Experimentou girar a maçaneta. Inesperadamente, estava destrancada. Recolocou o boné de beisebol, que tinha tirado sem perceber para limpar o suor frio que molhava os cabelos ralos. Ajeitou as roupas, respirou fundo e, finalmente, abriu a porta.

Era uma quitinete, virada para a face sul. O sol do começo de outubro entrava pelo lado da cozinha e deixava o ambiente acolhedor. No chão estavam espalhadas peças de roupa que deviam ser de sua cunhada, pois eram familiares para ele. Também rolavam pelo piso tufos de poeira, mas o lugar não lhe pareceu muito descuidado, talvez porque praticamente não tinha móveis.

Deixou as frutas na entrada e tirou os sapatos antes de entrar na casa. Não havia sinal de gente. Aonde ela teria ido? Será que saiu mesmo sabendo que ele estava chegando? Sem aparelho de televisão na casa, as tomadas e o buraco da antena expostos davam ao lugar um aspecto desolador. Na sala, que era ao mesmo tempo o dormitório, estava o telefone, instalado por sua esposa, e ao lado um colchão. Por cima dele, um edredom inflado como uma caverna, como se alguém tivesse acabado de se levantar.

Sentindo o ar pesando, decidiu abrir as janelas da sacada. Foi então que percebeu um movimento, que o fez voltar-se para trás. O que viu fez sua respiração parar.

Ela estava saindo do banho. Como ele não tinha ouvido barulho de água, não imaginou que estivesse lá. Mas a verdadeira surpresa foi vê-la totalmente nua.

Totalmente seca, ela ficou parada e parecia surpresa também. Foi pegando as roupas espalhadas pelo chão e se cobriu, não por ter ficado envergonhada ou sem jeito, mas porque era assim que devia agir em situações como aquela.

Enquanto ela se vestia com naturalidade, sem nem mesmo se virar, o que se esperava é que ele desviasse o olhar ou saísse. Mas em vez disso não se mexeu, encarando-a fixamente. Já não estava tão magra como quando parou de comer carne. Desde a época da internação no hospital foi ganhando peso, e como se alimentava bem também em sua casa, seus seios tinham um caimento suave. A cintura era bem delineada, não tinha muitos pelos pubianos, e as pernas, bem desenhadas, eram atraentes. Mais do que despertar desejo, seu corpo era para ser admirado. Só depois que ela se vestiu por completo, ele se deu conta de que não havia visto justamente a mancha mongólica.

"Desculpe", ele por fim conseguiu dizer. "É que a porta estava aberta… Achei que você não estava."

"Não tem problema", disse ela, apenas para ser educada. "Quando estou sozinha, fico à vontade."

Ele então tentou organizar a cabeça, que estava se esvaziando a toda velocidade. Quer dizer que ela passava os dias nua dentro de casa, pensou. Foi só então que ficou excitado. Tirou o boné de beisebol da cabeça e sentou-se meio de lado, para esconder a ereção.

"Não tenho nada para te oferecer…", ela disse, dirigindo-se à cozinha. Usava calça de moletom cinza, que, como tinha visto com os próprios olhos, vestira sem colocar uma calcinha. Quando observou sua bunda balançando sigilosamente, nem grande nem voluptuosa, ele engoliu em seco e sentiu o pomo de adão tremer.

"Não se preocupe… Podemos comer as frutas que eu trouxe", disse ele para ganhar tempo e se acalmar.

"Ótimo."

Ela então foi até a porta e pegou a sacola de frutas. Enquanto escutava a água saindo da torneira e o tilintar dos pratos, ele se esforçou para se concentrar na cena, sem graça, composta de buracos de tomada e fios de telefone. Mas não conseguia tirar da cabeça a imagem de uma bunda adornada com pétalas de flor e gente fazendo sexo, imagens que ele tinha desenhado tantas e tantas vezes.

Quando ela se sentou na frente dele, segurando um prato com maçã e pera, ele abaixou a vista, tentando esconder os olhos úmidos.

"Não sei se esta maçã está boa", ela disse, ficando em silêncio em seguida. E então continuou, com voz grave: "Não precisa vir me ver sempre".

"Como?"

"O senhor não precisa se incomodar comigo. Estou procurando emprego. O médico disse para eu evitar tarefas solitárias, por isso estou buscando trabalho num shopping. Fiz até uma entrevista na semana passada."

"É mesmo?"

Aquilo era inesperado. Certa vez, embriagado, o marido de Yeonghye lhe havia dito ao telefone: "Você aguentaria viver para sempre com uma mulher que terá que tomar remédio psiquiátrico pelo resto da vida e que depende do marido para se sustentar?". O marido estava enganado. Ela não estava mal a esse ponto.

"Em vez disso, o que acha de trabalhar na loja da sua irmã?", ele disse olhando para baixo, revelando por fim o assunto que o levara até ali. "Se é para pagar um bom salário a alguém, que seja a alguém da família. Ela confia em você. Além disso, ficará mais tranquila tendo você por perto. E o trabalho sem dúvida é menos pesado do que será em um shopping."

Sentindo a excitação aquietar-se aos poucos, ele continuou; já conseguia olhar diretamente para seu rosto. Foi então que percebeu que ela tinha uma expressão indiferente, como a de um monge em contemplação. De quanta raiva ela teve que se livrar ou reprimir para chegar àquela expressão? Seu olhar chegava a causar medo. Repreendeu a si mesmo por tê-la imaginado num quadro pornográfico, só porque ela estava nua. No entanto, não podia negar que aquela breve cena tinha ficado gravada em sua retina, como um combustível capaz de reacender uma poderosa chama.

"Prove a pera", sugeriu ela, empurrando o prato para ele.

"Você também, cunhada."

Em vez de usar o garfo, Yeonghye pegou um pedaço de pera com a mão e deu uma mordida. Com medo de obedecer ao impulso de abraçar seus ombros serenos e chupar seus dedos adocicados pela fruta, de lamber seus lábios até a última gota doce e arrancar sua calça com força, ele virou o rosto.

"Espere um pouco", ele disse, calçando os sapatos. "Não quer vir comigo?"

"Aonde?"

"Vamos conversar um pouco, enquanto caminhamos."

"Vou pensar sobre o que você falou."

"Não, não é sobre isso... Eu queria te pedir um favor."

Ela fez cara de quem não estava entendendo.

Se ao menos conseguisse se desvencilhar do desejo e dos impulsos torturantes que o assaltavam, poderia conversar com ela em qualquer lugar.

"Pode falar aqui mesmo."

"Não, eu gostaria de andar um pouco. Não se sente sufocada ficando dentro de casa o dia todo?"

Convencida, ela calçou as sandálias e o seguiu. Em silêncio, deixaram para trás a ruazinha e avançaram para a avenida. Quando ele avistou a placa de uma sorveteria, perguntou:

"Gosta de sorvete?"

Ela esboçou um meio sorriso, como uma namorada que faz charme.

Sentaram-se numa mesa perto da janela. Em silêncio, enquanto ela pegava sorvete com uma colher e lambia, ele a observava. Seu corpo estremecia a cada vez que ela esticava a língua, como se estivessem conectados por um fio condutor.

Então pensou que talvez existisse só uma maneira de se livrar daquele inferno: realizar o desejo.

"O que eu queria te pedir..."

Ela abriu bem os olhos, ainda com sorvete na ponta da língua. Como uma boa representante da etnia mongólica, seus olhos de pálpebras curtas guardavam pupilas brilhantes, nem muito grandes nem muito pequenas.

"Gostaria que posasse para mim... como modelo."

Ela não sorriu, nem ficou sem jeito. Encarava-o em silêncio, como se o estivesse decifrando.

"Você já viu minhas exposições, não viu?"

"Sim."

"Será um trabalho de vídeo parecido com o que eu já fiz. Não vai tomar muito seu tempo. A questão é que... você precisa ficar nua."

Estava sendo ousado, sabia disso. Sentiu que estava recuperando a calma, que já não suava frio nem as mãos tremiam. Era como se tivesse colocado um saco de gelo na cabeça.

"Você ficará nua e terá o corpo pintado com tinta à base de água."

Por fim, ela abriu a boca, mantendo o semblante sereno:

"... e depois?"

"Ficará parada, até a filmagem terminar."

"Pintar o corpo... com tinta?"

"Vou desenhar flores em você."

Por um breve instante, seus lábios tremeram. Ou assim pareceu a ele.

"Não vai ser difícil. Levará cerca de duas horas, apenas. Pode ser no horário que lhe for mais conveniente."

Achou que tinha falado tudo o que precisava, então abaixou a cabeça, resignado, olhando para o sorvete com farofa de amendoim e fatias finas de amêndoas que derretia lentamente. E, de repente, veio a pergunta:

"Onde?", disse ela, tomando a última colherada. Um pouco do creme branco ficou em seus lábios pálidos. Tinha o rosto tão passivo que era impossível saber o que se passava em sua cabeça.

"Vou pedir emprestado o estúdio de um amigo. Por favor, não diga nada à sua irmã", ele balbuciou. Achou que era melhor não pedir aquilo, mas não via outro jeito. Odiando a si mesmo, reforçou:

"É segredo."

Ela não esboçou reação.

Ele, por outro lado, prendeu fundo a respiração e a olhou com cuidado, como se quisesse devorá-la viva e assim descobrir o que estava pensando.

Graças aos raios de sol que entravam através da ampla janela do estúdio, o ambiente era aconchegante. Com trezentos metros quadrados, o espaço parecia mais uma galeria de arte: as obras do amigo estavam penduradas em lugares estratégicos e as ferramentas eram surpreendentemente organizadas; tanto que, embora tivesse levado seu próprio material de trabalho, lhe deu vontade de experimentá-las.

Tinha escolhido aquele estúdio porque sabia que nele entrava luz natural. O dono não era seu amigo íntimo, mas estudaram juntos na faculdade e era o primeiro da turma a alcançar o posto de professor universitário, ainda com trinta e poucos anos. Precocemente já apresentava a dignidade, a postura e o jeito de se vestir de um professor.

"Por essa eu não esperava. Você, me pedindo um favor?", disse o amigo uma hora antes, entregando-lhe as chaves enquanto tomavam chá. "Se precisar mais vezes, pode contar comigo. Costumo passar bastante tempo na universidade e o estúdio fica livre de dia."

Ele pegou as chaves, notando que a barriga do amigo era mais saliente que a sua. Ainda que não demonstrasse, também devia ter os próprios desejos não realizados, angústias e ansiedades. Então sentiu uma espécie de consolo patético ao pensar que o volume daquela barriga revelava tudo o que faltava ao amigo. Certamente devia se incomodar com a gordura, ou sentia nostalgia do corpo da juventude.

Afastou um pouco os quadros do amigo — um tanto convencionais, para seu gosto —, ajuntando-os num canto e abriu um lençol branco sobre o piso de madeira sólida iluminado pelo sol. Deitou-se ali por um instante, para saber o que ela veria e sentiria quando estivesse na mesma posição: os veios da madeira que cobria o teto alto, o céu através da janela, a temperatura levemente fria, porém tolerável, do piso, suavizado pelo lençol. Depois ficou de bruços e observou os quadros do amigo, a fria sombra que se projetava no chão e a fuligem da lareira apagada.

Deixou as ferramentas de pintura à mão, pegou a câmera de vídeo PD100 e checou se tinha bateria suficiente. Depois ajustou a iluminação extra, em caso de a gravação se prolongar muito. Então abriu o caderno de rascunhos, deu uma olhada nele e o guardou de volta na bolsa. Tirou a jaqueta, arregaçou as mangas e se pôs a esperar. Yeonghye chegaria por volta das três da tarde na estação de metrô. Perto do horário combinado, ele pegou a jaqueta e calçou os sapatos. Inspirou fundo o ar limpo do subúrbio e foi em direção ao metrô.

Atendeu o celular enquanto caminhava.

"Sou eu."

Era sua esposa.

"Acho que vou chegar tarde hoje. A funcionária nova faltou de novo. Por favor, vá buscar Jiwoo na creche."

Ele foi categórico na resposta:

"Também não posso. Não antes das nove."

Do outro lado da linha, ouviu o suspiro pesado da esposa.

"Está bem. Vou pedir para a vizinha do 709 que fique com ele até as nove."

Sem dizer mais nada, ela encerrou a ligação. Era essa a natureza do relacionamento chocho que viviam nos últimos tempos, como se fossem dois sócios ligados por um filho.

Na noite do dia em que visitou a cunhada, movido por um impulso irresistível, ele procurou à força a esposa na cama. Ficou surpreso com a intensidade de seu desejo, algo que não sentira nem mesmo nos primeiros tempos de casados. A esposa também estranhou:

"O que você tem?"

Não queria ouvir o tom nasal da voz dela, por isso lhe tapou a boca. No escuro, não era a esposa que ele imaginava, e sim a cunhada, pensando em sua silhueta, nariz e lábios. Colocou na boca o mamilo endurecido da mulher e arrancou sua calcinha. Cada vez que a imagem da pequena pétala esverdeada se impunha e ameaçava desaparecer, ele fechava os olhos e apagava o rosto da esposa.

Quando terminou, ela estava chorando, ele não sabia se pela excessiva violência com que tinha agido ou por outro tipo de sentimento, que desconhecia.

Virando as costas para ele, a mulher murmurou: "Estou com medo". Pelo menos foi o que pensou ter ouvido. Ou talvez tenha sido: "Tenho medo de você". Ele estava prestes a cair num sono pesado como a morte e nem mesmo tinha certeza de que a frase havia saído da boca da esposa. Não sabia sequer por quanto tempo tinham durado seus soluços.

No dia seguinte, a esposa continuava a mesma. Sua voz era a mesma ouvida havia pouco no telefone. Não demonstrava nenhum vestígio que revelasse o incidente da noite anterior e nenhum tipo de rejeição em relação a ele. Seu jeito paciente de falar, quase inumano, e o mesmo suspiro de sempre o fizeram se sentir culpado por um tempo. Para apagar todo aquele desconforto, apressou os passos.

Para sua surpresa, a cunhada já o esperava quando ele chegou à estação. Estava sentada de qualquer jeito na escada que levava à saída. Vestia uma calça jeans surrada e um suéter grosso, marrom, como alguém vindo de um lugar onde já era inverno. Sem conseguir chamá-la de imediato, parou para admirar sua figura, seu gesto limpando o suor do rosto e o contorno de seu corpo, que recebia os raios de sol.

"Tire a roupa", disse a ela em voz baixa.

Ela estava parada, muda, observando os choupos através da janela. Os silenciosos raios do sol da tarde faziam brilhar o lençol branco. Ela não se virou. Parecia não ter escutado, e quando ele ia repetir o comando, ela levantou os dois braços e tirou o suéter. Tirou também a camiseta que usava por baixo, e suas costas sem sutiã se desvelaram. Quando tirou a calça jeans velha, suas nádegas alvas também ficaram totalmente expostas.

Olhou para seu traseiro contendo a respiração. Sobre as duas colinas macias, havia duas covinhas, chamadas "sorriso de anjo". De fato, a mancha do tamanho de um polegar estava mesmo estampada na parte de cima da nádega esquerda. Como ainda podia estar ali? Ele não conseguia compreender. Parecia uma mancha de machucado, levemente esverdeada. Mas se tratava mesmo da mancha mongólica, não havia dúvidas. Era algo que remetia a tempos remotos, anteriores à evolução ou ao processo de fotossíntese. Ele percebeu que, inesperadamente, aquilo não tinha nada de erótico; estava mais para algo relativo ao vegetal.

Só depois de algum tempo ele tirou os olhos da mancha e percorreu seu corpo nu por completo. Ficou impressionado com a atitude serena dela — não parecia que era a primeira vez que posava como modelo. Ainda mais levando-se em conta que eram cunhados. De repente ele lembrou que, um dia depois de cortar os pulsos, ela foi encontrada com o torso nu na frente da fonte do hospital, e por isso tinha sido internada na ala psiquiátrica, e demorou para receber alta porque, além de tudo, queria tirar a roupa para ficar tomando sol o tempo todo.

"Quer que eu me sente?", ela perguntou.

"Não, fique de bruços", respondeu ele num murmúrio, quase sem pronunciar as palavras. Ela fez o que ele pediu. Em choque, ele franziu a testa tentando descobrir as razões do sentimento avassalador que surgiu dentro dele quando a viu naquela posição.

"Fique assim por um instante."

Fixou a câmera no tripé e ajustou a altura. Depois de posicioná-lo de modo a capturar o corpo dela num quadro só, pegou o pincel e a paleta de cores. Pretendia gravar o processo de pintura do corpo.

Primeiro afastou o cabelo dela, que ia até os ombros, e começou a desenhar flores em sua nuca. Botões de pétalas roxas e vermelhas semiabertos encheram os ombros e as costas, e seus caules finos escorregavam pela cintura. Ao chegar à banda direita das nádegas, a flor roxa se abria, esplendorosa, deixando exposto o pistilo de um amarelo bem forte. No lado esquerdo, reinava absoluta a mancha mongólica. Com um pincel grosso, pintou de verde-claro seus arredores, destacando-a ainda mais.

Sentia arrepios a cada vez que tocava aquele corpo com o pincel e percebia que ela estremecia, talvez pela coceira causada pelas pinceladas. Muito mais que uma simples excitação, sentia-se comovido, como se estivesse aplicando seguidos choques de centenas de volts em algo primitivo.

Suando por todos os poros, ele finalmente passou pela coxa direita e terminou de pintar os compridos caules com folhas, que chegavam até o fino tornozelo.

"Pronto, acabei. Fique assim só mais um pouco."

Retirou a câmera de vídeo do tripé para poder filmá-la mais de perto. Deu um zoom em cada detalhe das flores, das curvas do pescoço, do cabelo despenteado, das mãos tensas apoiadas no lençol e das nádegas. Depois de filmar todo o corpo dela, desligou a câmera.

"Ok, pode se levantar agora", ele disse.

Cansado, sentou-se no sofá ao lado da lareira. Ela então se levantou, apoiando-se nos cotovelos. Parecia ter as extremidades adormecidas.

"Não está com frio?", perguntou limpando o suor do rosto para, em seguida, cobrir os ombros dela com sua jaqueta. "Cansada?"

Ela o olhou, ele sorriu. Um sorriso vago, mas firme, de quem não recusaria nada nem deixaria se surpreender por coisa alguma.

Foi então que ele entendeu o que o havia impressionado tanto ao vê-la de bruços no lençol. Um corpo totalmente livre de desejo e, ao mesmo tempo, belo e jovem. Dessa contradição exalava uma fonte de mistério e fugacidade. Não era uma simples fugacidade: tinha força. A luz do sol se disseminava através do janelão e tomava a forma de infinitos grãos de areia e, embora não fosse perceptível a olho nu, a beleza daquele corpo também se desfazia como areia... Uma infinidade de sentimentos indescritíveis o invadia de uma vez, apaziguando inclusive o desejo que tanto o atormentava havia um ano.

Ainda com a jaqueta dele sobre os ombros, ela vestiu a calça e depois pegou uma xícara fumegante, segurando-a entre as mãos. Estava descalça, apoiando levemente os pés no chão.

"Não sentiu frio durante a sessão?", ele voltou a perguntar. Ela balançou a cabeça. "Não achou difícil?"

"Mas se eu não fiz nada além de ficar parada... A temperatura do piso não me incomodou."

Era estranho, mas ela parecia não ter curiosidade alguma; talvez por isso tenha se mantido tranquila, independentemente da situação. Não ficara analisando o espaço desconhecido, tampouco demonstrara inquietudes que seriam naturais naquelas circunstâncias. Dava a impressão de se contentar com observar tudo o que lhe acontecia, como uma espectadora, apenas. Não: quem sabe em seu interior coisas terríveis e inimagináveis estivessem acontecendo, e gerenciar tudo aquilo, mais as questões cotidianas, fosse desgastante demais para ela. Talvez por isso não tivesse energia suficiente para demonstrar interesse ou para reagir às coisas ao seu redor.

Suas suposições vinham do fato de, em alguns momentos, ele notar que seus olhos não refletiam apenas uma tranquilidade vazia ou idiotizada, mas também algo feroz, contido à custa de muita força. No exato momento em que ele matutava tais elucubrações, ela estava encolhida, de cócoras, segurando entre as mãos a xícara fumegante, tal qual um pintinho friorento. Essa postura, no entanto, não despertava compaixão. Revelava, sim, uma solidão compacta, capaz de incomodar a quem olhasse.

Lembrou-se então do marido de Yeonghye. Ele não ia com a cara dele desde o começo. Nem precisava chamá-lo mais de cunhado. Um rosto seco, convencional, de quem não acredita em nada que não seja concreto. Só de imaginar que aquela boca vulgar, que não emitia nada além de uma chuva de clichês, tinha alguma vez explorado o corpo dela, sentiu uma espécie de vergonha. Insensível como era, será que o tapado tinha se dado conta da mancha mongólica em sua mulher? Ao imaginar ambos nus, achou a cena insultante, suja e violenta.

Quando ela se levantou do chão estendendo-lhe a xícara vazia, ele também se pôs de pé, pegou a xícara e a colocou na mesa. Trocou a fita da câmera de vídeo e a reajustou no tripé.

"Vamos de novo?"

Ela assentiu com a cabeça e se encaminhou para o lençol. Como o sol estava mais baixo, ele instalou sob seus pés uma iluminação com filamentos de tungstênio.

Ela tirou a roupa novamente e ficou deitada, dessa vez olhando para o teto. Por causa da iluminação localizada, parte do corpo dela ficou na penumbra; mesmo assim, ele estreitou os olhos, como se um facho de luz os atingisse em cheio. Ele a vira nua antes, mas observá-la assim, deitada, vulnerável, bela e cruamente estendida, era impactante demais, a ponto de lhe arrancar lágrimas. As clavículas magras, os seios achatados como os de um menino, por causa da posição, as costelas marcadas, as coxas flácidas e sem sensualidade, até mesmo seu rosto, inexpressivo e desértico, como se ela tivesse dormido de olhos abertos... Era um corpo do qual todos os excessos tinham sido eliminados. Ele nunca tinha visto um ser assim, capaz de dizer tanto apenas com sua figura.

Dessa vez, as flores que ele pintou, da clavícula aos seios, eram amarelas e brancas. Se nas costas as flores representavam a noite, era dia claro na parte da frente. Um lírio laranja floresceu na concavidade do ventre e pétalas douradas de diversos tamanhos espalhavam-se pelas coxas.

Em meio ao silêncio absoluto, uma exaltação nunca experimentada derramou-se de algum lugar desconhecido de seu interior e concentrou-se na ponta de seu pincel. Desejava prolongar aquela alegria pelo maior tempo possível. O rosto na penumbra — a iluminação não o alcançava — dava a impressão de que ela estivesse dormindo; apenas o leve tremor de sua pele ao toque do pincel entre as coxas desfazia o engano. Vendo-a aceitar sem resistência todo aquele processo, considerou-a um ser sagrado, nem humano nem animal, ou talvez um ser entre o vegetal, o animal e o humano, tudo ao mesmo tempo.

Deteve o pincel e, de cima, ficou observando embasbacado o corpo e as flores que nasceram sobre ele, esquecendo-se completamente da filmagem. Mas a luz do sol estava baixando cada vez mais rápido, escurecendo o quadrante em que estava o rosto de Yeonghye; então ele se aprumou e voltou a si.

"... fique de lado."

Aos poucos, como quem se move ao ritmo de uma música lenta, ela dobrou os braços, as pernas, torceu a cintura e deitou-se de lado. Ele filmou as cristas suaves da cintura e das nádegas, intercalando com imagens das flores noturnas e diurnas. Por último, filmou a mancha mongólica, que, com a menor incidência de luz, aparecia como uma sombra verde. E depois de hesitar por um momento, deu um close em seu rosto — tinha prometido que não o faria —, absorvido pela escuridão. Registrou os lábios vagos, as maçãs do rosto proeminentes, a testa reta, que se revelava por entre os cabelos desarrumados, e os olhos totalmente vazios.

Ela permaneceu de pé, com os braços cruzados, na frente do estúdio, até que ele guardasse todo o equipamento de filmagem no porta-malas. Seguindo as instruções do amigo, ele guardou as chaves dentro da bota de alpinismo que ficava sob a escada de acesso à entrada. Em seguida, disse a Yeonghye:

"Tudo pronto. Podemos ir."

Embora usasse a jaqueta por cima do suéter, ela tremia. Parecia estar com frio.

"Jantamos perto da sua casa? Ou então comemos algo aqui perto... Você deve estar com fome, não?"

"Não estou com fome. Isto... Será que sai com água?", ela perguntou, apontando para a região do peito, como se essa fosse sua única dúvida.

"Acho que não... Vão ser necessárias várias duchas para sair tudo..."

"... Gostaria que não saísse nunca", ela o interrompeu.

Ele ficou sem reação por um momento, olhando para o rosto de Yeonghye, cuja metade estava coberta pela escuridão.

Foram até o centro e entraram num restaurante de esquina. Por consideração a ela, que não comia carne, ele escolheu um que dizia "cozinha budista". No menu, uma vintena de pratos finamente apresentados, além de arroz cozido em panelas de pedra, com castanhas e gengibre. Enquanto a observava comer, se deu conta de que não havia encostado em um só pelo dela, que esteve nua por quase quatro horas. Desde o começo, o plano era mesmo filmar seu corpo nu e nada mais. Mesmo assim, ficou surpreso com o fato de não ter ficado excitado.

Mas ao vê-la agora, levando a colher à boca, usando suéter de lã, percebeu que o milagre que durara a tarde toda havia acabado, e o desejo que o tinha torturado por um ano estava de volta. Como um inferno conhecido, imaginou que a beijava à força e a jogava violentamente no chão, deixando todos os presentes aos gritos de indignação. Em vez disso, baixou os olhos, engoliu o arroz e perguntou:

"Por que você não come carne? Sempre quis te perguntar isso, mas nunca tive a chance."

Ela deteve os palitinhos que prendiam brotos de feijão e olhou para ele.

"Se for difícil responder, não precisa", ele disse, lutando contra as imagens eróticas que continuavam aparecendo num canto de sua cabeça.

"Não, não é difícil. Mas você não vai compreender", falou ela, impassível, mastigando os brotos de feijão. "É por causa dos sonhos."

"Sonhos?"

"Os pesadelos que tive... É por isso que não como carne."

"Que... Que tipo de pesadelo?"

"Rostos."

"Rostos?"

Diante da cara dele, de quem não estava entendendo nada, ela riu baixo, em um tom entristecido.

"Eu disse que você não entenderia."

Então era por isso que ela tinha ficado com os seios de fora, sob o sol, como um animal mutante que faz fotossíntese. Isso também foi por causa dos sonhos? Ele não se atreveu a perguntar.

Estacionou na frente do edifício dela e desceu do carro.

"Muito obrigado por hoje."

Ela respondeu com um sorriso. Tinha uma forma calada de se expressar, tão cordata que lembrava sua esposa. Até parecia uma mulher normal. "Ou melhor, ela é uma mulher normal", pensou. "O louco sou eu."

Ela o cumprimentou com a cabeça e sumiu pela entrada do edifício. Ele ficou ali, esperando que a luz do apartamento da cunhada se acendesse, mas isso não aconteceu. Então deu a partida no carro e dirigiu imaginando o quarto escuro, ela sobre o colchão, o corpo nu debaixo do edredom, sem se lavar. Um corpo decorado com abundantes e exuberantes flores, um corpo que estava junto dele até poucos minutos antes. Um corpo no qual ele não encostou sequer um dedo.

Sentiu uma agonia lancinante.

Ele tocou a campainha do 709 exatamente às nove e vinte.

"Jiwoo ficou esperando pela mãe até agora, mas acabou dormindo", disse em voz baixa a mulher que atendeu a porta.

Uma menina de maria-chiquinha entregou-lhe a grua de plástico. Ele agradeceu e guardou o brinquedo na bolsa. Depois abriu a porta do 710, seu apartamento, e então buscou o filho adormecido, levando-o com cuidado. O caminho até o quarto infantil, passando pelo corredor frio, pareceu-lhe infinito. O filho, já com cinco anos, ainda chupava o dedo. Percebeu que o menino acordou de leve durante o trajeto, porque ouviu o pequeno resmungando.

Voltou para a sala e acendeu a luz. Depois de trancar a porta, sentou-se no sofá. Ficou pensativo por alguns instantes, mas logo levantou-se e saiu. Pegou o elevador até o térreo; deixara o carro estacionado na rua; prostrou-se no banco do motorista e ficou ali, segurando junto dele a mala com as duas fitas de seis milímetros e o caderno de rascunhos. Procurou o celular.

"E o menino?", perguntou a esposa com a voz desanimada.

"Está dormindo."

"Ele jantou?"

"Deve ter jantado. Quando cheguei, já estava dormindo."

"Está bem. Lá pelas onze estou de volta."

"Como Jiu está dormindo pesado... Pensei que eu..."

"Hein?"

"Vou dar um pulo no ateliê. Tem um trabalho que deixei por terminar."

Como a esposa não respondeu, ele continuou: "Acho difícil que Jiu acorde. Está dormindo pesado. Quando dorme assim, vai até o dia seguinte."

"..."

"Está me ouvindo?"

"Querido..."

Ela parecia estar chorando... Será que não havia clientes na loja? Era incomum que agisse assim, justo ela, sempre tão preocupada com os olhares alheios.

"Vá, se quiser", disse por fim, já mais calma, mas em um tom que ele nunca tinha ouvido. "Fecho a loja agora e vou para casa."

Disse isso e desligou. Era uma mulher de modos delicados; jamais desligava primeiro, mesmo se estivesse ocupadíssima. Ele ficou confuso. Sentindo-se de repente culpado, hesitou por um momento, com o celular na mão. Pensou em voltar e esperar pela esposa. Mas rapidamente desistiu e deu a partida no carro. Com o trânsito do horário, em vinte minutos ela estaria em casa; o filho não acordaria naquele intervalo. Além do mais, ele não queria ficar sozinho, no silêncio, tampouco queria enfrentar o clima pesado que certamente haveria entre os dois.

Quando chegou ao ateliê coletivo, J. estava lá.

"Você chegou tarde hoje. Estou de saída."

"Fiz bem em vir correndo", pensou. Como as quatro pessoas que usavam o espaço eram notívagas, eram poucas as chances de trabalhar sozinho.

Enquanto J. recolhia suas coisas e vestia o casaco, ele ligou o computador. Com cara de surpresa, J. olhou para as fitas que ele levava nas mãos e disse:

"Meu velho, você andou trabalhando bem!"

"É... Pois é."

"Tem que me mostrar o que anda aprontando aí", disse J. sem alongar o comentário.

"Está bem."

Em tom de gozação, J. despediu-se batendo continência e, para exprimir que tinha pressa, balançou os braços, como se fosse um pássaro em pleno voo. Ele deu risada e pensou que havia tempos não ria daquele jeito.

Depois de varar a noite trabalhando, tirou a fita master e desligou o computador.

A filmagem tinha ficado melhor do que esperava. A luz, a atmosfera e os movimentos de Yeonghye emanavam um magnetismo de perder o fôlego. Pensou por um momento que música de fundo deveria colocar, mas logo concluiu que o silêncio do vazio ficava melhor. Os movimentos suaves do corpo, a mancha mongólica e as flores que enchiam a pele nua harmonizavam-se como algo essencial e eterno.

Para encarar o tedioso processo de renderização, ele fumou um maço inteiro de cigarros. Por fim, o vídeo ficou com quatro minutos e cinquenta e cinco segundos de duração. Começava com suas mãos pintando o corpo nu, passando pela mancha mongólica, pelo rosto desértico e irreconhecível, por causa da penumbra, e outra vez a imagem se fundia em sombras.

O esgotamento por ter passado a noite inteira trabalhando, a impressão de ter grãos de areia por todos os poros, a estranheza que lhe causava o ambiente a seu redor... Havia tempos que ele não experimentava aquelas sensações. Então escreveu na etiqueta da fita master: "Mancha mongólica 1: Flores noturnas e flores diurnas".

As imagens que levariam o título de "Mancha mongólica 2" e cuja edição ele ainda não tinha terminado — mas que, na verdade, eram as que mais ele ansiava por finalizar — desfilaram diante de sua memória como um rosto saudoso.

Um homem e uma mulher com os corpos pintados de flores copulando mergulhados num silêncio próximo ao vazio. A entrega física total, a franqueza dos movimentos — ora violentos, ora suaves —, registrados de perto, inclusive com tomadas dos genitais... Imagens cruas, mas que justamente por isso alcançavam uma extrema purificação.

Ficou matutando com a fita master nas mãos, jogando-a de um lado para o outro: se tivesse que escolher um homem para filmar junto com a cunhada, não poderia ser ele próprio. Tinha plena consciência de sua barriga cheia de dobras, suas gorduras salientes, a bunda e as coxas flácidas.

Em vez de dirigir de volta para casa, foi até a sauna mais próxima. Enquanto trocava de roupa, vestindo a bermuda e a camiseta brancas que recebeu no vestiário, observou, desiludido, seu reflexo no espelho. Não podia ser ele. Quem, então? Quem ele contrataria para fazer sexo com ela? Não era para ser um filme pornográfico, portanto não queria que fosse sexo fingido. Tinha que ser de verdade, porque a ideia era filmar os órgãos genitais em ação. Mas quem? Quem concordaria com algo semelhante? E como a cunhada receberia aquela proposta?

Ele sabia que estava prestes a cruzar uma fronteira. Mas não podia parar. Ou melhor: não queria parar.

Tentou dormir dentro da sauna. Consumidas todas as suas energias, deixou que seu corpo cansado fosse envolvido por aquelas imagens que ele ainda não tinha conseguido realizar, como um cálido e resplandecente raio de luz.

Ele a viu antes de despertar de seu breve sono. Sua pele tinha um tom verde esmaecido; seu corpo de bruços parecia uma folha recém-caída do galho, embora não estivesse completamente seca. Já não se via a mancha mongólica, e sim aquele verde desbotado, distribuído por toda a pele.

Ele a virou, de modo que ela ficasse com a boca para cima. Um raio de luz ofuscante irradiou da cabeça para o colo, impedindo que seu busto ficasse visível. Entreabriu suas pernas com as mãos e, ao não encontrá-las rígidas, notou que ela estava acordada. Quando a penetrou, um suco verde, semelhante ao de folhas trituradas, começou a escorrer de sua vagina. O cheiro agradável e ao mesmo tempo amargo de planta o deixou cada vez mais zonzo, dificultando sua respiração. Um pouco antes de gozar, ele tirou o corpo de dentro dela e percebeu que seu pau estava totalmente manchado de verde, assim como seu abdômen e suas coxas, tudo coberto por aquele suco refrescante de planta, que não dava pistas de onde vinha: se dela ou dele.

De novo ela ficou muda do outro lado da linha.

"Yeonghye..."

"Sim?"

Por sorte seu silêncio não durou muito dessa vez. Seria possível que houvesse em sua voz algo de alegria? Não dava para ter certeza.

"Descansou?"

"Sim."

"Sabe, queria te perguntar se..."

"Pode falar."

"Por acaso você já apagou os desenhos que fiz em você?"

"Não."

Ele suspirou com força.

"Você poderia deixá-los um pouco mais? Pelo menos até amanhã. Ainda não terminei o trabalho. Acho que vamos ter que filmar mais uma vez."

Ela estava... sorrindo? Será que estava esboçando um sorriso do outro lado do telefone?

"Não queria apagá-los, por isso não tomei banho", explicou ela calmamente. "Desde que você fez os desenhos, não tenho mais pesadelos. Você poderia pintá-los de novo, quando se apagarem?"

Ele não estava entendendo bem o que significava aquilo, mas segurou o telefone com mais força. "Agora, sim", resmungou para si mesmo. "Uma pessoa assim talvez concorde. Talvez concorde em fazer qualquer coisa."

"Se estiver livre, pode ir ao estúdio amanhã, no mesmo horário?

"Está bem."

"Mas vai ter mais uma pessoa. Um homem."

"..."

"Ele também vai tirar a roupa e vou pintar flores em seu corpo. Tudo bem por você?"

Ele esperou que ela se manifestasse. Pelo que tinha analisado até agora, seus silêncios em geral precediam respostas afirmativas, por isso não se inquietou.

"Por mim tudo bem."

Desligou o telefone e, com as mãos entrelaçadas, ficou dando voltas pela sala. O filho estava na creche e a esposa na loja: portanto, desde que voltara, às três da tarde, a casa estava vazia. Ficou pensando no que falar para a esposa, mas resolveu ligar antes para a cunhada. Em seguida, percebendo que não tinha como evitar a conversa, mudou de ideia de novo e por fim telefonou para a esposa.

"Onde você está?", ela quis saber, demonstrando mais confusão que frieza.

"Estou em casa."

"Terminou o trabalho?"

"Ainda não. Acho que vou ficar ocupado com isso até amanhã à noite."

"É mesmo? Então descanse um pouco."

A ligação foi cortada. Se ao menos ela gritasse e esbravejasse como outras esposas, se despejasse toda a agressividade e raiva, ele se sentiria melhor. Era sufocante a maneira com que ela se resignava tão facilmente, fazendo com que os resíduos dessa resignação se sedimentassem em forma de tristeza. Sabia que o esforço em ser compreensiva o tempo todo formava o lado bondoso e ao mesmo tempo frágil de sua esposa. Aliás, também tinha consciência do quanto ele era egoísta e irresponsável. Mas justificava-se pensando que exatamente tanta paciência e bondade o sufocavam e o transformavam numa pessoa pior.

Quando o turbilhão de sentimentos — culpa, arrependimento, hesitação — se desfez, ele teclou o número de J., conforme tinha planejado.

"Meu camarada! Estará no ateliê hoje à noite?", perguntou J.

"Hoje não. Não preguei o olho na noite passada, por isso vou descansar um pouco."

"É mesmo?"

J. demonstrava a confiança, a juventude e a tranquilidade próprias de seus vinte e cinco anos. Imaginou o jovem colega despido: não chegava a ser atlético, mas era magro e firme. Achou que iria funcionar.

"Preciso te pedir um favor."

"Que tipo de favor?"

"Tem algum compromisso amanhã?"

"Um jantar."

Sem dar mais detalhes, passou a J. o endereço do ateliê do amigo.

"Preciso de você por apenas duas horas. À tarde, não vai se estender até o jantar." Já ia desligar, mas acrescentou: "Você não disse que queria ver o que eu produzi? Pois então".

"Sim, claro que sim", disse J. com entusiasmo.

Desligaram.

Esperava que J., que era um estilista exigente, gostasse da fita editada por ele na noite anterior; esperava que despertasse sua curiosidade. O colega era dócil, e sendo um pedido dele, não conseguiria recusar tão facilmente. Estava otimista quanto a isso, embora não tivesse plena certeza de que tudo ocorreria como ele desejava.

J. chegou antes do horário marcado. Costumava ser um cara descontraído, que vivia dizendo *"Take it easy"* para tudo, mas naquele dia parecia ansioso.

"Estou tremendo."

Serviu um café a J., enquanto o despia novamente em sua imaginação. Nada mau. Combinava com ela.

Mostrou a filmagem a J., que ficou deslumbrado.

"É inacreditável... Quase mágico! Como é que você conseguiu fazer isso, meu camarada? Para falar a verdade, sempre te achei meio sem graça... Ah, me desculpe pela sinceridade. Mas como é que pôde mudar tanto? Como posso dizer... É como se um gigante tivesse se erguido e colocado você num mundo completamente diferente. Olhe para essas cores!"

Embora as expressões exaltadas e sentimentais de J., características de sua juventude, o incomodassem um pouco, estava de acordo. Todas aquelas cores já tinham sido exploradas em outros trabalhos seus, mas parecia que dessa vez estavam mais fortes e brotavam de dentro dele, até serem expulsas, em obediência a um ímpeto incontrolável. Era um sentido de cor que nunca tinha experimentado.

Achava que, até ali, tinha vivido como um ser obscuro, habitando espaços de pura sombra. Se por um lado o mundo em preto e branco em que vivia era belo e confortável, por outro já não era mais um lugar para o qual retornar. Parecia que tinha perdido para sempre a felicidade que lhe proporcionava aquela paz serena. No entanto, não tinha a sensação de perda, pois estava absorvido em dar conta dos novos estímulos e dores trazidos por um novo e vigoroso mundo.

Encorajado pelo entusiasmo de J., por fim explicou, um pouco ruborizado, o que tinha em mente. Quando mostrou ao colega o programa do espetáculo de dança ao qual assistira e seu caderno de rascunhos, pedindo-lhe que fosse seu modelo masculino, J. ficou aturdido.

"Por que justo eu? Há vários modelos profissionais por aí, atores, dançarinos..."

"Porque seu corpo é ótimo para isso. Um corpo que fosse muito perfeito não se encaixaria no projeto. O seu é ideal."

"Quer dizer que tenho que posar assim, junto com esta mulher? Não consigo, meu velho."

Para convencer J., tentou de tudo: implorou, ameaçou, apelou.

"Ninguém vai ficar sabendo. Já disse que o rosto de vocês não vai aparecer. E essa mulher, você não quer conhecê-la? Vai ser uma inspiração para seus próprios trabalhos."

J. pediu uma noite para pensar. Telefonou no dia seguinte, aceitando a proposta, sem saber do plano completo: uma cena de sexo de verdade.

"Está demorando um pouco, não?", disse J., olhando pela janela. Começava a ficar ansioso.

Ele também estava impaciente. Não foi buscá-la no metrô dessa vez porque Yeonghye tinha dito que conseguia encontrar o estúdio sozinha.

"Vou dar uma olhada lá fora."

Quando se levantou e pegou a jaqueta para sair, ouviu o barulho de alguém batendo à porta de vidro jateado.

"Ah, acabou de chegar."

J. colocou a xícara de café na mesa.

Yeonghye usava a mesma calça jeans do outro dia, mas, dessa vez, o grosso suéter era preto. Devia ter lavado a cabeça, pois seus cabelos longos e naturalmente escuros ainda estavam molhados. Primeiro ela olhou para ele, e só depois viu J. Sorria de leve enquanto mexia nos cabelos.

"Lavei com todo cuidado... Para não apagar as flores do pescoço."

J. sorriu. A aparência de Yeonghye, inesperadamente mais singela que o esperado, o fez relaxar.

"Tire a roupa."

"Eu?", disse J. arregalando os olhos.

"Ela já está toda pintada. Agora preciso pintar o seu corpo."

Com um sorriso envergonhado, J. virou de costas e se despiu.

"A cueca também."

Hesitando um pouco, J. por fim tirou a cueca e as meias. Como previsto, lá estava um corpo esbelto, sem músculos nem carnes demais. Não fosse pelo excesso de pelos pubianos, que iam do umbigo até a parte de cima das coxas, sua pele era lisa e branca. Chegou a sentir uma ponta de inveja do colega mais jovem.

Assim como fez com Yeonghye, pediu que J. ficasse de bruços e começou a pintar flores a partir de sua nuca. Dessa vez, escolheu tons azulados. Usou um pincel grosso para, com a maior rapidez possível, pintar hortênsias violáceas, cujas pétalas caíam como se um vento forte tivesse soprado.

"Vire-se."

Então pintou flores grandes de cor escarlate, tendo como centro o órgão genital de J. Os pelos pubianos funcionavam como a base negra da flor e o pau era o pistilo. Sentada no sofá, Yeonghye tomava café enquanto observava com atenção o trabalho. Quando terminou o serviço, ele notou que o pau de J. estava um pouco duro.

Levantou-se para descansar por um momento e aproveitou para trocar a fita, embora ainda tivesse bastante espaço na primeira.

"Tire a roupa", disse a Yeonghye.

Ela rapidamente ficou nua. O dia não estava tão claro quanto o outro, mas a flor dourada entre seus seios continuava brilhando. Ao contrário de J., Yeonghye estava à vontade. Parecia que, para ela, andar nua era mais natural do que estar vestida.

Não lhe passou despercebida a expressão de enlevo no rosto de J., que, sentado com os joelhos dobrados, olhava para ela. Então, sem que ele pedisse, ela se aproximou de J. e, como se o imitasse, sentou-se também com os joelhos dobrados sobre o lençol branco. Seu corpo radiante e seu rosto vazio formavam um triste contraste.

"E o que fazemos agora?", perguntou J., que, talvez pressionado por ter que liderar de alguma forma a situação, continuava com o rosto ruborizado, mas o pau agora estava murcho.

"Coloque-a sentada sobre seus joelhos."

Aproximou a câmera dos dois. Quando ela se sentou nos joelhos de J., ele indicou ao colega em voz baixa:

"Traga-a para mais perto."

Com as mãos trêmulas, J. puxou-a pelos ombros.

"Mas que droga, você nunca fez isso antes? Encene um pouco, toque os seios dela, vai!"

J. enxugou o suor da testa com as costas da mão. Nesse momento, ela deu a volta, lentamente, e sentou-se de frente para ele. Com uma das mãos, enlaçou o pescoço de J. e, com a outra, começou a acariciar a flor vermelha pintada em seu peito. Passou-se um tempo incontável, durante o qual só se ouvia a respiração dos três. Os mamilos de J. estavam contraídos e seu pau, ereto. Como se já tivesse visto os rascunhos do cunhado, Yeonghye entrelaçou seu pescoço no de J., como fazem os passarinhos quando se acariciam.

"Bom. Muito bom."

Filmou essa cena em vários ângulos, para, enfim, encontrar um que lhe agradasse mais.

"Bom... Continuem. Agora um sobre o outro."

Ela empurrou J. suavemente e o fez deitar no lençol, colocando as mãos sobre o peito dele. Deslizou os braços esticados, acariciando cada pétala vermelha pelo caminho, até chegar ao púbis. Com a câmera nas mãos, ele deu a volta por trás dela e filmou as flores roxas abundantes em suas costas; a mancha mongólica, que balançava conforme o movimento de seu corpo. "É isso!", pensou. "Se pudessem avançar um pouco mais..."

O pau de J. estava totalmente duro, deixando-o atordoado e com o rosto contorcido. Com movimentos lentos, ela ficou de bruços e fez com que seus seios tocassem o peito dele. Suas nádegas ficaram erguidas no ar. Ele os filmou a partir dos lados. O espaço entre ela, cujas costas arqueadas lembravam as de um gato, e o umbigo de J., o pau de J. apontando com força para cima, criavam uma atmosfera grotesca: parecia o acasalamento de duas plantas gigantes. Quando ela se ergueu devagar e sentou-se em cima dele, com postura ereta, o cunhado balbuciou:

"Será que... Por acaso...", disse, revezando o olhar entre J. e ela. "Vocês poderiam fazer de verdade?"

Ela não se abalou, mas J. se afastou num pulo, empurrando-a como se tivesse se queimado com algo. Então esbravejou, escondendo o pau entre os joelhos levantados:

"Mas o que é isso? Quer fazer um filme pornô?"

"Se não quiser, ok, tudo bem. Mas se pudesse fazer com naturalidade..."

"Não, não quero", disse J., levantando-se.

"Espere um pouco. Não vou te pedir mais nada. Só continue como estava", disse-lhe, enquanto segurava os ombros do colega. Sem dar-se conta, o apertou com tanta força que J. se desvencilhou de suas mãos com um grito.

"Espere, não reaja assim", voltou a pedir, agora com a voz mais calma e suplicante.

"Olhe só, tudo bem… Eu também sou artista. Mas isso não se faz. Quem é ela? Não parece ser uma prostituta ou algo assim. E, mesmo que fosse, como pode fazer isso?"

"Está bem, tem toda razão. Me desculpe."

J. voltou a se deitar no lençol, mas o clima de excitação e voluptuosidade tinha desaparecido por completo. Com a expressão de quem estava cumprindo um castigo, J. abraçou Yeonghye e aproximou seu rosto endurecido do dela. Quando seus corpos se sobrepuseram como duas pétalas, ela fechou os olhos. Se J. tivesse aceitado, ele tinha certeza de que ela o faria, sem se opor.

"Continuem assim e mexam-se um pouco."

Contrariado, J. movimentou-se para a frente e para trás, fingindo o ato sexual. O cunhado notou a planta dos pés de Yeonghye contraída, enquanto ela abraçava a cintura de J. com vontade. Seu corpo estava vivamente excitado, compensando a apatia do jovem colega. Durante os pouco mais de dez minutos em que estiveram naquela pose — provavelmente os dez minutos mais longos e agonizantes da vida de J. —, ele conseguiu capturar imagens suficientes nos ângulos que queria.

"Acabou agora?", perguntou J., ainda vermelho, já não pela euforia, e sim pelo embaraço.

"Só uma vez mais… Prometo que será a última", disse engolindo em seco. "Agora por trás dela, com ela de quatro. É a tomada mais importante, então não se recuse, por favor."

J. soltou um riso que mais parecia um choro.

"Olhe, já chega. Vamos parar com isso antes que fique ainda pior. Já tive inspiração suficiente. Agora sei na pele como devem se sentir os atores pornôs. É horrível demais."

Livrando-se das mãos que tentavam impedi-lo, J. começou a se vestir. Ele cerrou os dentes ao ver o redemoinho de flores, sua admirada obra, ser desfeito pela camisa de cor neutra.

"Não é que eu não compreenda, então não venha me chamar de moralista. Hoje descobri que sou muito mais equilibrado do que eu mesmo imaginava. Topei por curiosidade, mas isso é demais. Pode até ser que eu precise abrir mais minha mente e me libertar mais… Mas preciso de mais tempo. Sinto muito, meu chapa."

Estava claro que havia sinceridade na enxurrada que J. despejou; ele realmente parecia ter se sentido desconfortável com tudo aquilo. Depois de cumprimentá-lo com a cabeça, J. apenas lançou um olhar formal a ela, que permanecia de pé perto da janela, e foi andando com passos largos em direção à porta.

"Sinto muito."

Depois que o carro de J. partiu com estrondo, ele desculpou-se com Yeonghye, que recolhia suas roupas, uma a uma. Ela não respondeu. Quando terminou de vestir a calça jeans, ela soltou um risinho no vazio, ainda com a mão no zíper.

"Por que está rindo?"

"Estou toda molhada…"

Confuso como se tivesse levado um golpe na cabeça, permaneceu olhando para a cunhada. Ela estava de fato com dificuldades para subir o zíper, por isso ficou ali, com as pernas ligeiramente abertas. Foi então que ele percebeu que ainda estava com a câmera nas mãos. Colocou o aparelho no chão e correu para trancar a porta. Não ficou satisfeito em passar a chave e cerrou-a também com a tranca de segurança. Em seguida, correu em direção à cunhada e a abraçou, deitando-a sobre o lençol.

Quando abaixou a calça dela até a altura dos joelhos, Yeonghye disse:

"Não quero."

Rejeitou-o não apenas com palavras: ela o empurrou violentamente, levantou-se e ergueu a calça. Sentado, ele a observou subir o zíper e fechar o botão. Sem desistir, ele ficou de pé e a prendeu contra a parede. O corpo dela ainda estava quente. Quando apertou seus lábios contra os dela e tentou introduzir a língua à força, ela o rejeitou outra vez com violência.

"Por que você não quer? Porque sou seu cunhado?"

"Não é por isso."

"Você disse que estava toda molhada!"

"..."

"É porque você gostou daquele cara?"

"Não é isso. É por causa das flores..."

"Das flores?"

De repente, o rosto dela ficou assustadoramente pálido. O lábio de baixo, avermelhado por causa da mordida, estava tremendo de leve. Voltou a falar pausadamente:

"Eu queria mesmo fazer, de verdade... Nunca tive tanta vontade. Aquelas flores no corpo dele... Aquilo me deixou louca. Isso é tudo."

Ele ficou observando enquanto ela lhe dava as costas e ia em direção à porta. Ao vê-la calçando os sapatos, exclamou:

"Então...", ele disse, ouvindo a própria voz como um alarido, "... se eu pintasse flores no meu corpo, você me aceitaria?"

Ela virou o rosto e o fitou em silêncio. Seus olhos pareciam dizer que sim; pelo menos foi o que ele entendeu.

"E... posso... Posso filmar?"

Ela esboçou um sorriso, um sorriso singelo, como se não fosse capaz de recusar nada, nem sentisse a necessidade de negar-se a fazer qualquer coisa. Ou como se estivesse debochando dele em silêncio.

"Quero morrer."

"Quero morrer."

"Então morra. Morra de uma vez."

Sem saber por que estava chorando, aferrou-se ao volante e se deu conta de que era sua visão que estava embaçada, e não o vidro do carro. Não sabia por que a frase "quero morrer" explodia sem parar dentro de sua cabeça, como se fosse um feitiço. E também não sabia por que ouvia repetidas vezes a resposta "então morra", como se alguém estivesse dentro dele. Tampouco compreendia a razão pela qual esse diálogo alheio tinha o poder de acalmar seu corpo trêmulo.

Sentia o peito, ou melhor, o corpo inteiro queimar, e escancarou as janelas. Pisava fundo pela rodovia, em meio ao vento noturno e o ruído dos outros veículos. O tremor, que tinha começado nas mãos, se espalhou pelo corpo todo, fazendo-o acelerar ainda mais. Com os dentes rangendo, levava um susto a cada vez que olhava para o velocímetro, e esfregava os olhos com os dedos agitados.

De vestido preto e um casaquinho branco, P. passou pela entrada principal do edifício e saiu. Depois de quatro anos de namoro com ele, acabou se casando com um ex-colega do ginásio, que tinha se tornado juiz de direito. Graças ao apoio financeiro do marido, P. conseguiu tocar sem problemas o casamento e a carreira artística. Tinha realizado várias exposições individuais e era bastante admirada entre os colecionadores do elegante bairro de Gangnam. Atraiu até mesmo inveja e calúnias.

P. logo reconheceu o carro com o pisca-alerta ligado.

"Suba. Precisamos conversar", ele gritou, abaixando o vidro.

"Muita gente me conhece aqui, a começar pelo porteiro. Qual é o seu problema? Ainda mais a essa hora..."

"Suba logo. Preciso falar com você."

Contrariada, P. entrou no carro e sentou-se no banco do passageiro. Ele então a cumprimentou:

"Há quanto tempo... Desculpe por te procurar assim, tão de repente."

"Sim, muito tempo. Nem parece coisa sua. E não venha me dizer que veio até aqui por saudades de mim."

"Preciso te pedir um favor", disse ele, deslizando ansiosamente a mão pela testa.

"Pode falar."

"É uma longa história. Vamos até seu ateliê. É perto daqui, não é?"

"Sim, cinco minutos caminhando. Mas o que está acontecendo, me diga logo!", exigiu P., elevando a voz, sem conseguir conter seu temperamento.

Ele se alegrou por voltar a sentir a vitalidade daquela mulher, cuja personalidade forte já o incomodara anos antes. Teve vontade de abraçar P., mas sabia que aquilo não passava de pura nostalgia. Seu corpo ainda queimava de desejo pela cunhada, como uma chama avivada com gasolina. Depois de levar Yeonghye em casa, ele lhe dissera que o esperasse, que iria voltar. Foi então que decidiu procurar P., a única pessoa que podia fazer em seu corpo as pinturas com a qualidade de que ele precisava, a única pessoa que, por conhecer seu corpo nu, lhe faria aquele favor com urgência.

"Você tem sorte por meu marido estar de plantão hoje à noite. O que ele iria pensar?", disse P., acendendo a luz do ateliê.

"Veja aqui os esboços dos quais acabei de falar."

P. analisou com cuidado os desenhos.

"Muito interessantes... São incríveis, na verdade. Não sabia que você tinha esse domínio das cores", disse P. enquanto acariciava o queixo proeminente. E continuou: "Mas não parece seu estilo, Hyung. Acha mesmo que consegue expor isso? Afinal, seu apelido era sacerdote... Um sacerdote com consciência, um religioso devoto... Eu gostava disso em você", disse ela, olhando-o através dos óculos com armação de casco de tartaruga. "Você está buscando um novo caminho, é isso? Mas não seria uma transformação radical demais? Se bem que... Quem sou eu para dar palpite."

Não queria entrar em uma discussão com P., então pôs-se a tirar as roupas em silêncio. A ex-namorada parecia estranhar tudo aquilo, mas logo desistiu de tentar entender e começou a misturar as tintas na paleta.

"Não vejo seu corpo há muito tempo", disse ela escolhendo o pincel.

Sentiu-se aliviado por P. não ter rido. Afinal, se ela tivesse soltado uma risada, mesmo sem nenhuma intenção, ele teria interpretado como uma cruel zombaria.

P. passava o pincel por seu corpo com bastante cuidado. O pincel produzia um toque gelado, além de cócegas e formigamento, semelhantes aos da mais insistente e eficiente das carícias.

"Vou tentar fazer com que meu estilo não fique evidente. Você sabe, pintei muitas flores ao longo da carreira, gosto de pintá-las... Mas seus desenhos têm muita força; vou tentar fazer com que isso se reflita aqui..."

Quando P. acabou o trabalho, já passava da meia-noite.

"Obrigado", ele disse tremendo de frio, depois de tanto tempo nu e esticado no chão.

"Queria muito que você se visse. É uma pena que eu não tenha um único espelho aqui."

Ele abaixou a cabeça e olhou para o peito, a barriga, as pernas com sobras de pele e a enorme flor vermelha em seu sexo.

"Gostei. Ficou melhor do que se eu tivesse feito."

"Não sei o que você vai achar das costas. Nos seus rascunhos, parece que essa parte é a mais importante."

"Deve ter ficado bom. Você trabalha bem."

"Fiz o melhor que pude para os desenhos ficarem com seu estilo, mas acho que mesmo assim dá para entrever o meu traço."

"Muito obrigado, mesmo."

"Para falar a verdade, quando você tirou a roupa, eu fiquei… um pouco excitada…", confessou ela, sorrindo pela primeira vez.

"E agora?", perguntou ele sem dar muita importância ao fato. Vestia-se com pressa e, quando colocou a jaqueta, deixou de sentir tanto frio, mas seu corpo continuava rígido.

"Bem, agora…"

"O que está querendo dizer?", ele insistiu.

"Você não parece bem. Vendo você assim, com todas essas flores pintadas pelo corpo… Sinto um pouco de pena. Nunca tinha sentido isso por você." Então aproximou-se dele e o ajudou a fechar o primeiro botão da camisa. "Vou ganhar ao menos um beijo, não é? Afinal, você me fez sair de casa a esta hora da noite…"

Antes que ele pudesse responder, P. o beijou. Sentiu em seus lábios a lembrança de mil beijos parecidos e teve vontade de chorar; não sabia se pelas recordações, pela amizade que os unia ou pelo medo de ultrapassar a linha que estava logo adiante.

Como estava muito tarde, ele bateu à porta com o nó dos dedos, em vez de apertar a campainha, e entrou sem esperar resposta. Sabia que estava aberta.

Avançou no quarto escuro. Graças à luz da rua que entrava pela sacada, era possível distinguir o contorno dos objetos. Mesmo assim, ele acabou topando de leve no armário de sapatos.

"Está dormindo?"

Deixou no chão o equipamento de filmagem, que carregava nas duas mãos e no ombro. Quando se aproximou do colchão, depois de ter tirado os sapatos, vislumbrou uma figura sentada. Apesar da escuridão, percebeu que era ela e que estava nua. Ela levantou-se e chegou perto dele.

"Quer que acenda a luz?", ele perguntou com a voz rouca.

"Sinto um cheiro bom. Cheiro de tinta", ela disse baixinho.

Ele soltou um gemido e correu em sua direção. Esqueceu-se completamente da iluminação e até mesmo da câmera. Estava dominado por um desejo incontrolável, que o engolia.

Lançando uma espécie de grunhido, ele a deitou no chão. Com uma mão, segurou seus seios e, com a outra, começou a abrir os botões da camisa, enquanto chupava seus lábios e seu nariz de qualquer jeito. Os últimos botões foram praticamente arrancados aos puxões.

Já completamente nu, abriu as pernas de Yeonghye com força e a penetrou. A respiração ofegante que ouvia lhe soava como os uivos de um animal selvagem. Quando se deu conta de que era ele mesmo quem os estava produzindo, sentiu um calafrio. Até então, nunca tinha emitido ruído algum ao fazer sexo — achava que só as mulheres podiam gemer de prazer. Naquele corpo empapado de suor e que o apertava com incríveis contrações, ele derramou seu sêmen até quase perder a consciência.

"Me desculpe", disse ele, tateando o rosto de Yeonghye na escuridão. Ela o mordeu de leve.

"Posso acender a luz?", ela perguntou com a voz serena.

"Por quê?"

"Quero te ver direito."

Levantou-se e foi em direção ao interruptor. Tinha sido um coito unilateral e breve — não tinha durado nem cinco minutos —, por isso ela parecia não estar cansada.

Quando o quarto se iluminou, ele cobriu os olhos com as mãos. Só depois de um momento se acostumou com a claridade. Então a viu, encostada na parede. As flores abundantes em seu corpo continuavam belas.

De súbito lembrou que estava nu e escondeu a barriga saliente com as mãos.

"Não cubra... Está bem assim. Parecem pétalas sobrepostas."

Ela se aproximou devagar e se agachou. Assim como fez com J., esticou os dedos e começou a acariciar as flores do peito dele.

"Espere um pouco", pediu ele e se dirigiu à sala.

Nu como estava, instalou o tripé a uma altura baixa e fixou nele a câmera. Ergueu o colchão, o empurrou para a sacada e sobre ele estendeu o lençol branco. Do mesmo jeito que fizera no ateliê do amigo, instalou a iluminação ao rés do chão.

"Deite-se."

Quando ela se deitou, ele ajustou o foco da câmera, calculando o lugar em que os corpos se entrelaçariam.

Sob a forte iluminação, ela permaneceu com os membros alinhados; então, com todo cuidado, ele colocou-se sobre ela. Será que assim iriam parecer duas flores copulando, como aconteceu quando ela se deitou sobre J.? Funcionaria como uma mescla de flores, animais selvagens e humanos, tudo na mesma figura?

A cada vez que mudava de posição, ele fazia ajustes na câmera. Antes de registrar a cena por trás, na posição que J. se recusou a fazer, ele a gravou de quatro por um bom tempo e em close. Depois a penetrou, seguindo cada um de seus movimentos através da tela externa da câmera.

Estava saindo tudo à perfeição, conforme tinha imaginado. O abrir e o fechar da flor vermelha, com seu pau feito um pistilo gigante, repetiam-se por cima da mancha mongólica. Sentiu um calafrio. Era a união grotesca entre as mais belas imagens com as mais feias, tudo ao mesmo tempo. Sempre que fechava os olhos, via o pegajoso líquido vegetal verde de seus sonhos espalhando-se pela barriga, púbis e coxas.

Na última tomada, foi ele quem se deitou por baixo. E, claro, ajustou o ângulo da câmera, de modo que fosse filmada a mancha mongólica.

"Para sempre, que tudo isso dure para sempre..." Quando ele sentiu o corpo estremecer de insuportável satisfação, ela desabou em choro. Quase trinta minutos tinham se passado sem que ela soltasse nem sequer um gemido; é verdade que seus lábios tremiam de leve, enquanto ela continuava de olhos fechados, demonstrando o intenso gozo somente com as vibrações do corpo. Era hora de acabar com aquilo. Ele então ergueu o tronco e, sem soltá-la, esticou o braço e desligou a câmera.

Sem culminação nem fim, as imagens se repetiriam no silêncio, em meio ao gozo, ininterruptamente. Por isso, tinha que parar de filmar naquele ponto. Ele esperou que ela se acalmasse, que parasse de chorar, e a fez deitar-se. Nos últimos minutos do sexo, ela rangeu os dentes, soltou gritos ásperos e agudos, resfolegou e pediu "chega...", e começou a chorar novamente.

E por fim tudo ficou em silêncio.

Sob a luz azulada da madrugada, ele lambeu longamente sua bunda.

"Gostaria que ficasse na minha língua."

"O quê?"

"Sua mancha mongólica."

Ela o olhou um pouco surpresa.

"Como você ainda pode ter isso?"

"Não sei... Achei que todo mundo tinha uma, mas quando fui a uma sauna pública, reparei que só eu tinha."

Ele acariciou a mancha com a mão que a abraçava pela cintura. Sentiu vontade de também ter aquela mancha, tal qual a marca de um ferrete. "Gostaria de devorar você, derreter e fazer você correr pelas minhas veias."

"Será que agora vou deixar de ter aqueles pesadelos?", disse ela tão baixinho que mal se ouvia.

"Pesadelos? Ah, sim, com aqueles rostos... Sim, você me falou disso", disse ele, sentindo-se sonolento. "Como são esses rostos? De quem são?"

"É sempre diferente. Às vezes é de alguém conhecido; outras, de alguém que nunca vi. Há vezes em que aparece um rosto todo ensanguentado, ou um cadáver em decomposição."

Ele arregalou os olhos, que lhe pesavam como chumbo, e olhou para ela. Sem denotar cansaço algum, as pupilas dela se agitavam em meio ao crepúsculo.

"Achei que fosse por causa da carne", ela continuou. "Achei que eu me livraria desses rostos se parasse de comer carne. Mas não foi assim."

Ele se esforçava para se concentrar no que ela estava falando, mas, independentes de sua vontade, seus olhos foram se fechando aos poucos.

"Então... Agora entendi. Agora sei que é um rosto que vem de dentro do meu ventre. São rostos que sobem de dentro de mim."

Escutando suas palavras como se fossem canções de ninar, ele adormeceu profundamente.

"... Não tenho mais medo... Acho que não terei mais medo."

Quando ele acordou, ela ainda estava dormindo.

O dia estava claro. Ele tinha os cabelos bagunçados como a crina de um animal; os lençóis amarrotados cobriam as pernas dela. No ar, um cheiro picante e azedo se misturava a outro, adocicado e enjoativo, odores que vinham do corpo dela, mas que pareciam os de um bebê recém-nascido, preenchiam a casa inteira.

Que horas seriam? Pegou o celular no bolso da jaqueta, que tinha jogado de qualquer jeito. Era uma da tarde. Tinha dormido às seis da manhã, ou seja: sete horas de sono, como um defunto. Então, vestiu a cueca e a calça, para em seguida guardar os equipamentos de iluminação e o tripé. Mas não conseguia achar a câmera. Lembrava-se de tê-la posto perto da porta depois de terminar a filmagem, para não correr o risco de tropeçar nela ou algo assim. Mas ela tinha sumido.

Imaginando que Yeonghye pudesse ter se levantado pela manhã e tê-la guardado em outro lugar, foi até a cozinha. Atrás da parede de gesso, perto da pia, algo branco caído no piso chamou sua atenção. Era a fita de seis milímetros. Estranhando o fato, recolheu a fita e, quando contornou a parede falsa, encontrou uma mulher debruçada sobre a mesa. Era sua esposa.

Ao lado dela, havia uma pilha de potes plásticos envolvidos por um pano e, em suas mãos, um celular. A câmera de vídeo estava aberta e jogada debaixo da mesa. Embora fosse provável que tivesse ouvido o barulho do marido se aproximando, não se moveu nem um milímetro.

"Querida...", ele sussurrou, sentindo náuseas: não podia acreditar naquela situação.

"Querida."

Foi só então que a esposa levantou o rosto. Ele logo percebeu que ela se mexia não para se aproximar dele, e sim para impedi-lo de chegar perto. Por fim, ela disse:

"Yeonghye não dava notícias... Por isso decidi passar aqui antes de ir para a loja. Preparei algumas marmitas com verdura para ela", disse com a voz tensa, se esforçando para não perder a calma, como se estivesse se justificando.

Ele conhecia aquele tom de voz; era assim que ela se comportava quando tentava esconder seus sentimentos a todo custo: um tom lento, baixo e levemente trêmulo.

"Entrei porque a porta estava aberta. Vi o corpo de Yeonghye todo pintado e achei estranho... Você estava com o rosto virado para a parede, o corpo coberto... Não tinha te reconhecido."

Com a mão que estava segurando o celular, ela afastou para trás uma mecha de cabelo. Ambas as mãos tremiam muito. Continuou:

"Achei que Yeonghye tinha arranjado um namorado. E, com essas pinturas... Achei que era um novo ataque de loucura dela. Quando vi a cena, pensei em ir embora. Mas como não sabia com que tipo de homem ela estava se encontrando, achei que precisava protegê-la. Foi aí que encontrei a câmera, me pareceu conhecida... Rebobinei a fita, do jeito que você me ensinou, e..."

Ela pronunciava cada palavra com muita calma, dando a entender que estava recorrendo a todo autocontrole possível para ter coragem de seguir falando:

"Aí vi que era você."

Nos olhos dela, havia choque, medo e desespero indescritíveis, mas a expressão de seu rosto permanecia impassível. Só então ele percebeu que seu torso nu despertaria o repúdio da esposa, e rápido começou a procurar sua camisa, que estava jogada de qualquer jeito no banheiro. Depois de vesti-la, ele disse:

"Querida, eu posso explicar. Sei que não é fácil de entender..."

"Já chamei a ambulância", ela o interrompeu em voz alta.

"Como?"

"Você e Yeonghye precisam de cuidados médicos", ela disse com o rosto pálido de espanto, afastando-o.

Ele demorou alguns segundos para entender.

"Está me mandando para um hospício?"

Nesse momento, um barulho veio do colchão. Tanto ele quanto a esposa prenderam a respiração. Completamente nua, Yeonghye livrou-se dos lençóis para se levantar. Então ele viu as lágrimas caírem pelas faces da esposa.

"Seu desgraçado!", disse em voz baixa, tentando conter os soluços. "Mesmo sabendo que ela ainda não está bem... Como teve coragem?"

Seus lábios estavam molhados e tremiam.

Foi só então que Yeonghye virou-se para a cozinha, com uma expressão ausente no olhar, e notou a presença da irmã. Pela primeira vez, ele pensou que aqueles olhos pareciam os de uma criança. Eram olhos que continham tudo e ao mesmo tempo estavam vazios, olhos que apenas uma criança podia ter. Não, talvez o olhar de um ser que estava num estado ainda anterior, um olhar de um ser que jamais guardara algo em suas pupilas.

Yeonghye caminhou lentamente em direção à sacada. Abriu a porta de correr e deixou que o vento fresco entrasse. Ele olhou para a mancha mongólica esverdeada e viu nela vestígios de saliva e sêmen grudados como uma seiva. De repente, ele sentiu que já tinha experimentado de tudo no mundo, que estava velho e podia morrer naquele instante, sem sentir medo algum.

Na sacada, ela expôs os seios dourados e brilhantes por cima do gradil e abriu completamente as pernas, onde estavam pintadas pétalas alaranjadas. Parecia querer ser penetrada por um raio de sol ou pelo vento. Ele começou a ouvir a sirene da ambulância, que se aproximava, os gritos de espanto das crianças, as exclamações, o alvoroço dos vizinhos reunidos na rua. Também se ouviam passos apressados subindo as escadas.

Ele podia correr para a sacada e se jogar por cima do gradil no qual Yeonghye estava apoiada. Podia cair do segundo andar e rachar a cabeça. Podia fazer isso. Só assim terminaria com tudo. Mas ficou pregado onde estava, como se aquele fosse o primeiro e o último instante de sua vida. Manteve o olhar fixo no corpo de Yeonghye, que parecia uma flor em chamas, resplandecendo como uma imagem mais intensa do que qualquer uma das cenas tomadas na noite anterior.

III
Árvores em chamas

Ela está em pé, observando a estrada molhada pela chuva. Espera na plataforma em frente ao terminal de ônibus de longas distâncias de Maseok. Caminhões de carga gigantes percorrem a primeira faixa em alta velocidade soltando estrondos. A rajada de chuva é tão forte que parece ser capaz de atravessar seu guarda-chuva.

Não é muito jovem. Também não se pode dizer que seja bonita. Mas tem as curvas do pescoço suaves e os olhos simpáticos. Está maquiada de leve, de um modo bem natural, e veste uma blusa branca com mangas curtas, limpa e bem passada. Graças a seu jeito asseado, que causa boa impressão a qualquer um, a vaga sombra que rodeia seu rosto é quase imperceptível.

Seus olhos reluzem por um instante, porque avistaram ao longe o ônibus que ela está esperando. Desce até a pista e estica o braço. O ônibus, que vinha com pressa, diminui a marcha.

"Vai até o hospital psiquiátrico de Chukseong, certo?"

O motorista, um senhor de meia-idade, assente com a cabeça e faz um gesto com a mão, convidando-a para subir. Enquanto procura lugar para sentar-se, depois de pagar a passagem, ela observa o rosto dos passageiros. Todos parecem interrogá-la com o olhar: será uma paciente ou visitará algum familiar? Será que tem algo de errado? Ela não dá bola para aqueles olhares, que misturam suspeita, alerta, repúdio e curiosidade.

Escorre água de seu guarda-chuva, que está fechado. O chão do ônibus está molhado e irradia um tom preto brilhante. Como o guarda-chuva não era grande o suficiente, sua roupa está um pouco úmida. O ônibus avança rápido pela estrada molhada. Esforçando-se para manter o equilíbrio, ela caminha pelo corredor em direção ao fundo do veículo. Encontra um lugar com os dois assentos vazios e senta-se do lado da janela. Tira um lenço da bolsa e limpa a janela embaçada. Com um olhar firme que somente quem viveu por muito tempo sozinha pode ter, observa a chuva forte que bate no vidro. A cidadezinha vai ficando para trás e, ladeando a estrada, começam a despontar os bosques esverdeados de fins de junho. As árvores espessas cobertas pela violenta torrente parecem animais gigantes reprimindo seu uivo. Ao aproximar-se do parque florestal de Chukseong, o caminho se estreita e ganha cada vez mais curvas. O bosque vai ficando mais próximo e faz vibrar seu corpo molhado. Onde estará a montanha na qual sua irmã mais nova, Yeonghye, foi encontrada, três meses antes? Ela olha para cada uma das árvores que balançam sob as rajadas e imagina os espaços escuros que elas escondem, até que afasta o rosto da janela.

Disseram-lhe que Yeonghye tinha desaparecido do sanatório no horário do passeio ao ar livre, que era das duas às três da tarde. Naquele dia, as nuvens estavam carregadas, mas não chovia. Por isso, os pacientes com sintomas leves tinham sido liberados para o passeio, como todos os dias. Às três, quando as enfermeiras foram fazer as contas, perceberam que Yeonghye não tinha voltado. Foi então que começaram a cair as primeiras gotas. Toda a equipe do hospital entrou em alerta; as estradas pelas quais passavam táxis e ônibus foram bloqueadas rapidamente. Quando um paciente desaparece, uma das hipóteses é que ele tenha descido pela montanha até a saída de Maseok, ou então que tenha se embrenhado pela floresta.

Conforme o dia avançava, a chuva ia se intensificando e, por causa do mau tempo, o sol de março desapareceu mais cedo. Depois de procurar em cada canto da mata, um dos funcionários encontrou Yeonghye, para alívio de todos. "Foi quase um milagre", disse o médico responsável pelo caso. Encontraram-na sem se mexer, de pé em um barranco recôndito e distante da mata, como se ela fosse uma das árvores de tronco grosso sob a chuva.

Estava com seu filho Jiu, de seis anos, no hospital, por volta das quatro da tarde, quando recebeu a ligação notificando o desaparecimento da irmã mais nova. O menino tinha uma febre persistente de quarenta graus havia cinco dias e ela o tinha levado para fazer um raio X dos pulmões. Na sala hospitalar, Jiu parecia inseguro e olhava alternadamente para a mãe e o radiologista.

"A senhora é Inhye Kim?"

"Sim, pois não?"

"Sou a enfermeira responsável por Yeonghye Kim."

Era a primeira vez que ligavam do hospital onde a irmã estava internada. Era sempre ela quem fazia contato, para marcar uma visita ou apenas saber como estava Yeonghye. Em um tom calmo, que tentava ocultar a gravidade da situação, a enfermeira explicou-lhe as circunstâncias do desaparecimento.

"Estamos nos empenhando o máximo possível para encontrá-la, mas caso ela procure pela senhora, por favor, entre em contato conosco o quanto antes."

Antes de desligar, a enfermeira acrescentou:

"Há algum outro lugar para onde ela possa ir? A casa dos pais, por exemplo."

"Meus pais moram muito longe. Se for o caso, eu mesma entro em contato com eles."

Depois de desligar o celular e guardá-lo na bolsa, entrou na sala de raio X e abraçou o filho. O corpo de Jiu, que tinha perdido peso naqueles dias, continuava quente.

"Mãe, me comportei direitinho, não foi?", perguntou o menino com o rosto vermelho pela febre e pela expectativa do elogio.

"Sim, você não se mexeu nem um pouquinho."

Depois de ouvir o diagnóstico do médico, afirmando que não era pneumonia, com o filho nos braços e sob a chuva, ela tomou um táxi para casa. Apressou-se em dar-lhe banho, o jantar e os remédios, para então colocá-lo cedo na cama. Ela não tinha cabeça para se preocupar com a irmã desaparecida. Fazia cinco dias que, por causa da doença do menino, não dormia bem. Se a febre de Jiu não cedesse naquela noite, teria que interná-lo em um hospital de grande porte. Já se preparava para uma possível emergência, fazendo uma pequena mala com a carteira do plano de saúde e algumas roupas de Jiu, quando recebeu uma nova ligação. Eram quase nove da noite.

"Encontraram minha irmã? Ainda bem. Vou visitá-la na semana que vem, conforme agendado."

Estava profundamente agradecida, mas o cansaço fez com que sua voz parecesse pesada e confusa. Só depois de desligar o telefone é que se deu conta de que, naquele dia, havia chovido densamente no país inteiro, inclusive na mata perto de onde Yeonghye foi encontrada.

Não entendia como pôde imaginar a cena com tanta clareza, uma vez que não estava lá. Passou a noite toda pondo compressas frias na testa do filho, que dormia com a respiração áspera. De minuto em minuto, ela caía no sono, como se desmaiasse; era nesses momentos que via, tremeluzente como um fantasma, a imagem da floresta em meio à chuva. Chuva negra, floresta negra; a bata hospitalar cinzenta toda encharcada, os cabelos molhados. Um barranco todo escuro. De pé como uma alma penada, Yeonghye, amalgamada com a chuva e a escuridão. Já era madrugada quando colocou a mão na testa do filho e percebeu que finalmente a temperatura tinha baixado. Saiu do quarto e ficou observando a fraca luz azulada que entrava pela janela da sacada.

Ela se encolheu no sofá e tentou dormir. Precisava dormir, nem que fosse por uma hora, antes que o filho acordasse.

"Fiquei de cabeça para baixo e então folhas começaram a nascer do meu corpo e raízes das mãos... As raízes foram se cravando na terra, mais e mais e infinitamente... E como estava a ponto de nascer uma flor no meio das minhas pernas, eu as abri, as abri completamente, mas..."

A voz de Yeonghye, que ela ouvia em sonho, era baixa e afável no começo; depois ficou ingênua como a de uma criança, para no fim se dissipar em ruídos animalescos incompreensíveis. Sentindo uma repulsa desconhecida, ela abriu os olhos, assustada, e voltou a dormir — e a sonhar. Dessa vez, estava em pé na frente do espelho do banheiro. A imagem refletida de seu olho esquerdo estava sangrando. Então ela levantou a mão para se limpar, mas, estranhamente, sua imagem no espelho não se mexeu. Ela permaneceu quieta, sem reação, observando seu sangue fresco se derramar.

A tosse de Jiu a despertou, fazendo-a correr para vê-lo. Borrando de sua cabeça a imagem de Yeonghye, que lhe aparecia sentada e encolhida no canto do quarto, segurou a mão do filho, esticada no ar, como se ele estivesse tendo uma convulsão.

"Está tudo bem agora", ela resmungou baixinho. Não sabia se dizia isso para o filho ou para si mesma.

O ônibus faz uma curva e para em uma bifurcação. Quando a porta da frente se abre, ela desce as escadas a passos largos e abre o guarda-chuva. É a única passageira que desceu naquele ponto. Sem demora, o ônibus dá a partida e se distancia com rapidez pelo caminho chuvoso.

Para chegar ao pequeno hospital, a partir dali ela toma uma das vias estreitas da bifurcação, sobe um morro e atravessa um túnel de cerca de cinquenta metros. Apesar de ter abrandado um pouco, a chuva continua forte. Ela se abaixa. Enquanto dobra a barra da calça, avista plantas daninhas caídas no asfalto. Ajeita a bolsa pesada. Endireita o guarda-chuva e caminha em direção ao hospital.

Agora ela visita a irmã todas as quartas-feiras para ver como ela evolui. Antes do desaparecimento de Yeonghye naquele dia chuvoso, ela fazia o trajeto uma vez por mês. Por aquele caminho, que ela percorria levando frutas, bolinhos de arroz, tofu recheado e coisas assim, raramente passavam pessoas ou carros, de modo que era muito silencioso. Quando enchia com comidas a mesa da sala de visitas, que ficava ao lado da seção administrativa, Yeonghye devorava tudo sem dizer nada, como se fosse uma criança fazendo a lição de casa. Passava a mão pelos cabelos da irmã mais nova, colocando-os atrás da orelha, e Yeonghye levantava os olhos e chegava a esboçar um sorriso. Nesses momentos, até parecia estar curada. Será que não bastaria viver assim? Não seria possível que Yeonghye permanecesse ali, que falasse quando quisesse e não comesse carne, se não quisesse? Não seria suficiente que ela visitasse a irmã de vez em quando?

Yeonghye era quatro anos mais nova que ela. Talvez por essa distância, elas cresceram sem passar por brigas e desentendimentos, tão comuns entre irmãs. Desde a época em que apanhavam da mão pesada do pai, Yeonghye era alguém a quem ela devia proteger, alguém que despertava seu senso de responsabilidade, algo muito parecido ao instinto materno. Acompanhava com espanto e fascínio o crescimento da irmãzinha, que antes vivia de calcanhar sujo e cujo nariz se enchia de brotoejas no verão, e que crescia e já se preparava para casar. Lamentava apenas que ela falasse cada vez menos conforme ia ficando mais velha. Assim como a irmã, ela também tinha uma personalidade circunspecta, mas sabia ser simpática conforme a situação. Em contrapartida, era sempre difícil adivinhar o que se passava no coração e na cabeça de Yeonghye, tanto que às vezes a sentia como uma estranha.

Por exemplo, no dia em que Jiu nasceu e Yeonghye foi ao hospital para conhecê-lo, em vez de dar os parabéns, limitou-se a comentar num resmungo: "É a primeira vez que vejo uma criança tão pequena... Todos os recém-nascidos são assim?". E depois perguntou: "Vai conseguir carregá-lo sozinha até a cidade de nossos pais? Se bem que seu marido sabe dirigir... Se quiser, posso ir junto, para ajudar".

Ficou agradecida pela oferta de ajuda da irmã, mas o sorriso silencioso de Yeonghye naquele momento tinha algo de anormal. Era como se revelasse que a sensação de estranheza que ela sentia em relação à irmã era recíproca. Ficava sem saber o que falar sempre que estava diante daquele rosto, que, em vez de serenidade, transmitia uma desolação absoluta. Embora não se parecesse em nada com a atitude melancólica do marido, de certa forma ambos a deixavam desencorajada. Seria talvez porque ambos falavam pouco?

Ela entra no túnel, que, por causa do mau tempo, está mais escuro do que de costume. Fecha o guarda-chuva. Avança ouvindo seus passos, cujo eco retumba com força. De uma das paredes, de onde a escuridão parece gotejar, uma imensa mariposa manchada levanta voo. Ela para por um momento para observar suas asas. Como se soubesse que estava sendo observada, a mariposa não se move do teto escuro.

Seu marido gostava de tirar fotos de coisas assim, coisas com asas: pássaros, borboletas, aviões, mariposas e até moscas. Ela, que já não entendia muito de arte, ficava desconcertada com esse hábito do marido; não conseguia compreender que relação tinha com o trabalho dele. Certa vez, ao assistir a uma filmagem em que, depois da imagem do desabamento de uma ponte e de pessoas chorando, de repente aparecia, por dois segundos, a sombra negra de um pássaro tentando levantar voo, perguntou: "Por que essas cenas aladas?".

"Porque sim", foi a resposta dele. "Me sinto bem com coisas assim", disse, para depois seguir no silêncio de sempre.

Será que alguma vez ela chegou a conhecer verdadeiramente o marido, que vivia naquele mutismo impenetrável? Durante um tempo, pensou que os trabalhos dele poderiam revelá-lo por dentro. Ele criava e expunha vídeos que duravam de dois minutos, os mais curtos, a uma hora, os mais longos. A verdade é que, antes de conhecê-lo, ela nem sabia que existia esse campo artístico. Apesar de seus esforços, nunca conseguiu compreender suas obras.

Lembrava-se bem do dia em que se conheceram. Magro como uma vara e com a barba de dias, ele entrou em sua loja carregando a mala com os equipamentos de filmagem; notava-se que pesava bastante. Procurava uma loção pós-barba. Colocou os dois braços no balcão de vidro com um gesto de total esgotamento; parecia até que o balcão ia desabar com ele. Foi inacreditável que ela, que não tinha muita experiência com homens, lhe perguntasse com simpatia se ele já havia almoçado. Ele se espantou um pouco, mas seu cansaço encobriu a surpresa. Então ela fechou a loja mais cedo, para comerem juntos. É verdade: também não tinha almoçado, mas foi a aparência vulnerável, tão característica dele, que a desarmou.

Desde aquele dia, a única coisa que ela esperava era que ele descansasse ao receber os cuidados que ela lhe dispensava. Mas apesar de seus muitos esforços, mesmo depois do casamento, ele parecia continuar cansado. Estava sempre ocupado com o trabalho, e quando por acaso parava em casa, parecia distante, como quem está em um hotel. Sobretudo quando o trabalho não ia bem, seu silêncio se tornava resistente como borracha e pesado como rocha.

Não demorou muito para ela se dar conta de que talvez a pessoa a quem ela tanto queria fazer descansar não fosse ele, mas sim ela mesma. Ela, que saiu da casa dos pais aos dezenove anos e foi se virar na capital sem a ajuda de ninguém: foi isso que viu refletido no rosto cansado do marido.

Assim como ela não conseguia ter certeza de seu amor por ele, nunca teve certeza do amor dele por ela. Às vezes achava que ele se apoiava nela por completa incompetência para a vida prática. Tinha uma personalidade intransigente que o impedia de se mostrar complacente, de modo que era impossível para ele ser tolerante ou elogioso com alguém. Ainda assim, era sempre gentil com ela, nunca usava palavras rudes e às vezes até a olhava com respeito e admiração.

"Eu não mereço você", ele chegou a dizer antes de se casarem. "Sua bondade, equilíbrio, calma, sua postura de total naturalidade diante da vida… Isso me emociona."

Parecia uma declaração de amor, embora difícil de compreender; mas agora ela se perguntava se não tinha sido uma confissão de que não estava apaixonado.

O que ele amava de verdade eram as imagens que filmou e as que iria filmar no futuro. A primeira vez que foi a uma exposição dele depois do casamento, ficou perplexa: não conseguia acreditar que aquele homem, aparentemente tão frágil, tinha passado por tantos lugares carregando sua câmera. Para ela, era difícil imaginá-lo negociando a gravação em lugares complicados, tendo a coragem e a ousadia necessárias, além de paciência e persistência. Em outras palavras: não podia acreditar que existia tanta paixão nele. Percebeu que havia um abismo entre seus trabalhos apaixonados e sua vida cotidiana, na qual ele vivia como um peixe preso num aquário. A diferença era tão gritante que não pareciam a mesma pessoa.

Em casa, viu seus olhos brilharem uma única vez. Foi na época em que Jiu tinha completado um ano de vida e começava a andar. Com a câmera na mão, ele filmou o filho dando os primeiros passos na sala ensolarada; a cena em que Jiu cai nos braços da mãe e ela o beija na cabeça. Então, cheio de vida, disse:

"E se eu acrescentar uma animação, fazendo brotar flores dos pés a cada passo que ele der, como no filme do Hayao Miyazaki? Não, melhor colocar uma revoada de borboletas. Ah, então melhor mesmo seria gravar tudo de novo num parque, não é, Jiu?"

Ele então lhe ensinou como manejar a câmera e continuou falando, empolgado, enquanto lhe mostrava o que já tinha gravado:

"Você e Jiu podem se vestir com roupas brancas. Não, não. Talvez seja melhor usar roupas bem surradas e comuns. Sim, assim é melhor: um piquenique de mãe e filho de uma família pobre. A cada passo desajeitado do bebê, um bando de borboletas coloridas sai voando, como um milagre..."

Mas eles não foram ao parque. Jiu logo cresceu e não andava mais se desequilibrando. O vídeo das borboletas ficou só na imaginação dela.

Não se sabe a partir de que momento ele começou a se sentir bem mais cansado. Passava as noites no estúdio e não voltava mais para casa aos finais de semana, apesar de parecer não estar produzindo nada. Mesmo depois de perambular pelas ruas a ponto de seus sapatos ficarem pretos, o resultado era o mesmo. Não foram poucas as vezes em que, ao entrar no banheiro de madrugada e acender a luz, levava um baita susto ao vê-lo dormindo na banheira sem água, com roupa e tudo.

Depois que ele saía outra vez, o filho costumava perguntar: "Papai está em casa?"

Mas Jiu fazia a mesma pergunta todas as manhãs, inclusive antes de o pai sair.

"Ele não está", ela costumava dizer, completando a breve resposta com um murmúrio. "Não tem ninguém aqui. Só você e sua mãe. Vai ser assim para sempre."

Os pavilhões do sanatório erguem-se solitários sob a chuva. Por causa da umidade, seus muros de concreto parecem mais escuros e pesados. As janelas dos quartos dos pacientes, que se encontram no primeiro e no segundo andares, têm grades de ferro. Nos dias ensolarados, é difícil ver algum rosto entre as grades, mas em dias assim é possível ver vários rostos cinzentos observando a chuva. Ela ergue a vista, procurando o segundo andar do edifício, onde fica o quarto de Yeonghye, e caminha até a entrada da administração, que fica perto de uma loja de conveniências e da sala de visitas.

"Tenho hora marcada com o dr. Bak Inho."

A funcionária da administração a reconhece e a cumprimenta. Ela então dobra o guarda-chuva, do qual escorre água, e senta-se no banco comprido de madeira. Enquanto espera o médico, como de costume fica contemplando a zelcova no meio do pátio do hospital. É uma árvore antiga, deve ter pelo menos quatrocentos anos. Nos dias claros, aquela árvore, que estica os galhos numerosos e reflete a luz do sol, parece querer dizer alguma coisa para ela. Mas hoje, num dia chuvoso, é como uma pessoa taciturna, que não quer conversa. A casca de seu velho tronco está encharcada e é escura como a noite; as folhas dos galhos mais finos tremem ao receber a chuva. Ela contempla em silêncio essa paisagem, à qual se sobrepõe a imagem de Yeonghye, como um fantasma.

Fecha os olhos avermelhados por um longo tempo e volta a abri-los. A árvore calada continua ocupando toda a sua visão. Jiu se recuperou por completo. Voltou a dormir bem e a ir para a escola, mas ela, no entanto, segue sem conseguir descansar. Aquele já era o terceiro mês que ela não conseguia dormir mais que uma hora seguida. A voz de Yeonghye, a floresta com a chuva negra e seu próprio rosto sangrando no espelho estilhaçavam as longas noites, como uma porcelana que se quebra em mil pedaços.

Por volta das três da madrugada, em geral, é quando ela finalmente desiste de dormir e se levanta. Lava o rosto, escova os dentes, prepara a comida para o resto do dia, arruma cada canto da casa, mas os ponteiros do relógio não giram, como se estivessem presos por um pêndulo pesadíssimo. Por fim, ela entra no quarto do marido e escuta os discos que ele deixou, ou, como ele fazia antes, rodopia pelo quarto com as mãos na cintura, ou fica deitada na banheira com roupa e tudo mais. Sentiu que, pela primeira vez, entendia o que se passava com ele. Certamente ele não tinha forças suficientes sequer para tirar a roupa, quanto mais para ajustar a temperatura do chuveiro. De repente ela percebe que esse espaço côncavo e apertado é justamente o lugar mais acolhedor daquele apartamento de mais de cem metros quadrados.

"A partir de que ponto as coisas passaram a dar errado?", ela se pergunta nesses momentos. "Quando tudo isso começou? Ou melhor: em que instante foi que tudo começou a desmoronar?"

Yeonghye ficara estranha havia três anos, quando, de uma hora para a outra, se tornou vegetariana. Hoje em dia há muitos vegetarianos por aí, mas o que diferenciava Yeonghye é que, em seu caso, a motivação não era clara. Ela perdeu peso dramaticamente, quase não dormia, e se já era do tipo que falava pouco, tornou-se incomunicável. A família toda ficou preocupada, a começar pelo marido. Isso tudo aconteceu logo depois de eles se mudarem para o apartamento maior. Quando a família se reuniu para conhecer a nova casa, seu pai perdeu a cabeça, esbofeteou Yeonghye, abriu sua boca à força e enfiou nela pedaços de carne. Tremia, como se tivesse sido ela a espancada, e não a irmã. Com o corpo endurecido, viu Yeonghye gritar como um animal selvagem, cuspir a carne, pegar a faca de picar frutas e cortar o próprio pulso.

Será que não tinha como impedir aquilo tudo? Cobrou-se por muito tempo, infinitas vezes. Será que podia ter segurado a mão do pai? Ou impedido que Yeonghye pegasse a faca? Será que podia ter evitado que seu marido levasse sua irmã toda ensanguentada ao hospital, carregando-a no colo? Podia ter evitado que seu cunhado tivesse abandonado sua irmã de uma forma tão cruel, quando ela voltou para casa? Podia remediar o que seu próprio marido tinha feito com Yeonghye, aquilo, que tinha se transformado em um escândalo barato no qual não queria pensar nunca mais? Podia, afinal, ter evitado todas essas coisas? Que a vida das pessoas que a rodeavam desmoronasse como um castelo de areia?

Ela não queria saber que tipo de inspiração a pequena mancha mongólica esverdeada no traseiro de Yeonghye causara em seu marido. A cena que flagrou, quando visitou a casa da irmã para lhe levar a comida que preparara, superava de longe sua capacidade moral de compreensão. Na noite anterior, ele tinha gravado uma fita com os dois fazendo sexo, depois de ter pintado seus corpos com flores coloridas.

Será que podia ter impedido isso também? Será que perdeu de vista algo que indicasse o que ele estava prestes a fazer? Podia ter reforçado mais que a irmã ainda estava doente, que ainda tomava remédios?

Naquele dia, nem em seus sonhos mais remotos ela teria pensado que o homem que estava deitado ao lado de Yeonghye, nua e com o corpo pintado de flores vermelhas e amarelas, era seu marido. O que venceu seu espanto e a vontade de sair correndo foi a ideia de que devia proteger a irmã mais nova. Apoiando-se em seu senso de responsabilidade irreprimível, pegou a câmera do chão e, lembrando-se de como o próprio marido a havia ensinado a operá-la, viu o que estava registrado. Tirou a fita e a deixou cair no chão, como se estivesse pegando fogo. Apertou as teclas do celular desajeitadamente e pediu uma ambulância para buscar duas pessoas com distúrbios mentais. Mesmo durante todo o processo, ela não conseguia aceitar que tudo estava mesmo acontecendo. Não conseguia acreditar nem mesmo no que seus olhos viam. A única coisa certa é que não perdoaria o marido por nada neste mundo.

Quando ele acordou, passava do meio-dia. Em seguida, foi a vez de Yeonghye. Pouco depois, chegaram três bombeiros, com camisas de força e equipamentos de proteção.

Como Yeonghye estava apoiada no gradil da sacada e parecia correr risco, eles se dirigiram primeiro a ela, que resistiu violentamente. Tentavam colocar a camisa de força por cima de seu corpo nu, pintado com diversas cores. Ela mordeu o braço de um deles e soltou gritos irreconhecíveis. Tiveram que acalmá-la com uma injeção, enquanto ela se debatia. Nesse meio-tempo, seu marido tentou escapar empurrando o enfermeiro que estava na porta de entrada, mas foi contido. No entanto, usando de toda a sua força, conseguiu se livrar e correu até a sacada. Tentou se jogar pela janela, como se fosse um pássaro, mas um dos enfermeiros foi mais ágil e o segurou pelas pernas, e ele não resistiu mais.

Presenciou aquelas cenas até o fim, tremendo muito. Quando seus olhos se encontraram com os do marido, enquanto ele era arrastado para a ambulância, tentou fulminá-lo com o mais agressivo dos olhares. Mas os olhos dele não continham desejo nem loucura, tampouco arrependimento ou rancor. Só havia espanto, o mesmo que ela estava sentindo naquele instante, e nada mais.

E foi assim que tudo terminou. Depois daquele dia, sua vida nunca mais voltou a ser a mesma.

O marido não foi diagnosticado com nenhum distúrbio, por isso o encerraram em uma prisão. Depois de incontáveis processos e recursos, ele foi solto e desapareceu. Yeonghye permaneceu internada em um hospital psiquiátrico. Tinha voltado a falar por um breve período, depois de sua manifestação de loucura, mas se afundou outra vez no silêncio. Em vez de falar com pessoas, ela se encolhia em algum canto ensolarado e ficava resmungando alguma coisa.

Continuava a não comer carne, e quando a refeição vinha com algum pedaço de animal, saía correndo aos gritos. Nos dias de sol forte, ela se punha na janela e abria os botões da roupa, para expor os seios ao ar livre. Seus pais, que ficaram velhos e enfermos de repente, não queriam visitar a segunda filha. Também cortaram relação com a filha mais velha, porque ela os fazia lembrar do genro, que para eles era o pior dos monstros. O irmão mais novo e a esposa fizeram o mesmo. Mas ela não podia abandonar Yeonghye. Alguém precisava pagar as despesas do hospital e ser responsável por ela.

Seguia com a vida. Tendo que enfrentar sozinha os persistentes mexericos em torno do escândalo, continuou a tocar o negócio de cosméticos. O tempo, que é uma torrente tão justa que chega a ser cruel, levou em suas águas aquela vida tão certinha, construída ao redor da paciência. No outono daquele ano, Jiu tinha cinco anos, agora está com seis. E Yeonghye está bem melhor, desde que foi transferida para este hospital, com um ambiente acolhedor e um melhor custo-benefício.

Ainda pequena ela já demonstrava personalidade forte. Aqueles que lavram a vida com seu próprio esforço têm em comum essa característica. Ela sempre soube enfrentar as coisas que se apresentavam, e a honestidade era parte de sua natureza, tanto como filha quanto como irmã, esposa e mãe, ou como uma cidadã à frente de seu negócio; até mesmo como alguém que frequenta o metrô, ela dava o melhor de si. Confiando na inércia de tanta diligência e na passagem do tempo, ela teria conseguido superar tudo... Quer dizer, isso se Yeonghye não tivesse desaparecido três meses antes. Se não tivesse sido encontrada numa floresta, num dia chuvoso. Se, depois disso, os sintomas não tivessem se agravado de uma forma tão drástica.

Toc, toc, toc. Fazendo soar alto o barulho de seus sapatos, um médico jovem, de jaleco branco, vem caminhando do outro lado do corredor. Quando ela se levanta e o cumprimenta, o médico acena, de leve, com a cabeça. Faz um movimento com o braço para indicar o consultório. Ela o acompanha, sem dizer nada.

O médico, que parece ter seus trinta e cinco anos, é atlético e bonito. Tem uma expressão e um modo de andar que denotam muita autoconfiança, mas, quando sentou à mesa, a olhou com o cenho franzido. Ela fica com o coração apertado: sente que ele preferia não atender àquela consulta.

"Como está minha irmã, doutor?"

"Fizemos tudo o que podíamos, mas ela continua igual."

"Então, hoje..."

Ela não consegue terminar a frase e fica com o rosto vermelho, como se tivesse feito algo errado. É o médico quem conclui:

"Hoje tentaremos injetar nela um pouco de alimento pastoso por um tubo. Se ela melhorar, ótimo. Caso contrário, teremos que interná-la numa sala de cuidados intensivos, em um hospital convencional. Será o único jeito."

"Posso falar com ela antes, para tentar convencê-la mais uma vez?"

O médico a olha sem esperança. Tem o semblante cansado. Parece guardar certa raiva dos pacientes que não evoluem conforme sua vontade.

"A senhora tem trinta minutos. Se conseguir, por favor, avise alguém na sala dos enfermeiros. Caso contrário, nos vemos às duas", ele diz, olhando para o relógio de pulso.

Parecia que já ia se levantando quando, talvez por compaixão, acrescenta algo à conversa:

"Como disse à senhora na última consulta, casos de anorexia nervosa têm de quinze a vinte por cento de chance de morte por inanição. Mesmo estando só ossos, o paciente continua achando que está gordo. Esses quadros geralmente têm, em sua origem, conflitos com mães muito dominadoras... Mas o caso de Yeonghye Kim é especial. Ela sofre de esquizofrenia e além de tudo se recusa a comer. Estava convicto de que não se tratava de uma esquizofrenia aguda, mas francamente não previ que ficaria assim. Se ela tivesse delírios persecutórios, haveria formas de convencê-la a comer. Por exemplo: melhoraria assim que visse o médico comendo a mesma coisa que ela. Mas neste caso não está claro o motivo da recusa, e os remédios também não estão surtindo efeito. É difícil dar essas notícias à família, mas não há outro jeito.

Antes de tudo, precisamos preservar a vida dela, e nosso hospital não pode garantir isso."

Antes de levantar-se definitivamente, sua sensibilidade profissional o faz notar algo nela.

"A senhora está pálida. Tem dormido bem?"

Ela não conseguiu responder rápido.

"É preciso cuidar da sua saúde, ainda que seja pela paciente."

Ambos se levantam e se despedem com um aceno de cabeça. Em seguida o médico abre a porta do consultório, saindo primeiro e novamente fazendo ressoar os sapatos. Ao deixar a sala, ela observa que o médico já está distante no corredor.

Quando volta para o banco comprido que fica de frente para a administração do hospital, ela vê entrar uma mulher de meia-idade, maquiada com extravagância, apoiando-se no braço de um homem também de meia-idade. Estariam ali para visitar algum paciente? Em seguida, a mulher começa a proferir insultos sem fazer cerimônia. O homem, que parece já acostumado, não se importa. Ele tira do bolso a carteirinha do plano de saúde e a entrega para a recepcionista.

"Seus desgraçados! Se eu arrancasse as entranhas de vocês e comesse não seria suficiente! Eu vou embora daqui, vou viver em outro país! Não passo nem mais um dia aqui!"

O homem não age como se fosse o marido dela. Talvez seja o irmão mais velho, ou o mais novo. Se ela for mesmo internada, sem dúvida antes terá que passar uma noite inteira na sala de estabilização. Tem grandes chances de ter os braços e as pernas amarrados e levar uma injeção de tranquilizante. Ela olha para o chapéu estampado com grandes flores que a mulher que berra está usando. Dá-se conta de que aquele grau de loucura lhe soa irrelevante. Desde que começou a frequentar o hospital, estar em uma rua pacífica, cheia de pessoas normais, chega a causar-lhe mais estranheza.

Ela então recorda o dia em que trouxe Yeonghye pela primeira vez àquele hospital. Era uma tarde de céu limpo de inverno. A divisão psiquiátrica do hospital central de Seul ficava muito mais perto, mas ela não tinha como bancar as despesas. Por isso, depois de procurar muito, decidiu transferir a irmã para este lugar, reconhecido pelo cuidado com que acolhe os pacientes. No momento dos trâmites para a saída do hospital de Seul, o médico então responsável por Yeonghye recomendou um tratamento ambulatorial:

"Segundo pude observar até agora, ela está indo muito bem. Ainda não é hora de inseri-la na vida social, mas o apoio dos familiares vai ajudar na recuperação."

"Da outra vez, levei minha irmã para minha casa, seguindo suas recomendações. Mas teria sido muito melhor se ela tivesse permanecido internada."

Enquanto dizia aquelas palavras, sabia que sua preocupação com uma possível recaída não era por motivos superficiais. Sentia que era impossível manter Yeonghye por perto. E que não suportava conviver com tudo o que ela a fazia lembrar. E que, no fundo, odiava a irmã em segredo. Não conseguia perdoá-la pela irresponsabilidade de perder a cabeça, deixando sua vida em frangalhos, e menos ainda por ter cruzado a fronteira da sanidade depois de ter transformado sua vida num lodaçal.

Felizmente, Yeonghye também preferia ficar internada. Vestida com roupas casuais, parecia tranquila ao afirmar ao médico, com a fala firme e o olhar claro: "Sinto-me mais confortável no hospital".

Não fosse pelo fato de ter diminuído de peso, afinal comia menos, e de seu corpo, que já era magro, ter ficado ainda mais fino, parecia uma pessoa normal. No táxi, ficou apenas olhando pela janela, em silêncio, e não demonstrou nenhum sinal de intranquilidade. Depois a seguiu docilmente, como se estivesse voltando de um passeio. Na recepção do hospital, chegaram a perguntar qual das duas era a paciente.

Enquanto aguardavam os trâmites da internação, disse para Yeonghye:

"O ar daqui é mais puro e você vai ter mais apetite. Tem que comer melhor e ganhar mais peso."

"Sim, aqui têm árvores grandes", disse Yeonghye, olhando para a zelcova no centro do pátio.

Chamado por um funcionário da recepção, um enfermeiro de meia-idade e compleição grande aproximou-se e verificou o conteúdo de sua bagagem. Foi tirando e desdobrando meticulosamente as roupas íntimas, as casuais, sandálias, artigos de higiene pessoal, para se certificar de que não haveria cordas ou presilhas escondidas. Depois de confiscar um cinto de lã comprido e grosso, pediu que o seguissem.

O funcionário abriu a porta com uma chave e entrou primeiro na ala. Ela e Yeonghye vinham atrás. Enquanto ela cumprimentava os enfermeiros, Yeonghye permaneceu quietinha. Quando por fim chegaram a um quarto para seis pacientes e ela colocou a mala no chão, divisou as grades em linha vertical na janela, com um pequeno espaçamento entre elas. Nesse momento, um inesperado sentimento de culpa pesou em seu peito e ela ficou confusa. Sem fazer barulho, Yeonghye se aproximou e disse:

"Dá para ver as árvores daqui também."

Apertou os lábios e disse para si mesma: "Não fraqueje. É um fardo que você não vai conseguir carregar. Ninguém pode te criticar por isso. Depois de tudo o que passou, está agindo muito bem".

Não quis olhar para o rosto de Yeonghye. Fixou a vista somente nos raios de sol de princípios de inverno, que banhavam as folhas mais resistentes. Como se a consolasse, Yeonghye falou com um tom de voz sereno e baixo:

"Mana..."

O velho suéter preto de Yeonghye tinha um leve cheiro de naftalina.

Quando viu que ela não respondia, Yeonghye sussurrou mais uma vez: "Mana... todas as árvores do mundo são minhas irmãs".

Ela atravessa o Pavilhão 2, onde estão os enfermos indigentes e os com deficiência intelectual, e se detém na porta do Pavilhão 1. Vê os pacientes olhando pela janela. Como há dias não saem, por causa da chuva, sentem-se entediados. Quando aperta a campainha, um enfermeiro beirando os cinquenta anos se aproxima com uma chave nas mãos. Como havia recebido o aviso da recepção, ele tinha se adiantado e mudado de andar e já esperava por ela.

Com movimentos ágeis, o enfermeiro abre a porta e a tranca novamente atrás de si. Do lado de dentro da porta de vidro, uma paciente jovem a olha com a cara esmagada no vidro. Com o olhar vazio, a encara, parecendo analisá-la. É um olhar obsessivo, que uma pessoa normal jamais lançaria sobre um desconhecido.

"Como está minha irmã?", ela pergunta enquanto sobe as escadas para o terceiro andar.

O enfermeiro olha para trás e balança a cabeça:

"Difícil dizer. Ela fica tentando tirar a seringa de soro. Nós a imobilizamos na sala de estabilização e injetamos calmante em suas veias. Foi só então que pudemos colocar o soro outra vez. Com aquela magreza, não sei de onde ela tira tanta força física para resistir..."

"Então ela está na sala de estabilização agora?"

"Não, ela acordou há pouco e a transferimos para o quarto. Não lhe disseram que às duas horas vamos entubá-la pelo nariz?"

Ela seguiu o enfermeiro até o saguão do terceiro andar. Nos dias ensolarados, esse costuma ser um espaço cheio de energia, com pacientes idosos sentados no banco comprido, perto da janela, tomando sol, enquanto outros jogam pingue-pongue, acompanhados por música alegre. Mas parecia que a chuva tinha engolido toda aquela energia. A maioria devia estar no quarto, porque o saguão está quase vazio hoje. Os pacientes com alzheimer arrancam as unhas ou olham para os pés com os ombros encolhidos; outros estão calados, grudados à janela. A mesa de pingue-pongue também está vazia.

Ela pousa a vista no fim do corredor oeste, onde os raios do sol da tarde caem com maior intensidade. Quando visitou a irmã em março, pouco antes de ela desaparecer na floresta sob a chuva, por alguma razão Yeonghye não a recebeu. Com o telefone no ouvido, a enfermeira encarregada lhe disse que estranhamente Yeonghye não estava querendo sair do pavilhão havia dias. Até mesmo no horário do passeio, que os pacientes adoram, ela continuava dentro do prédio. Como tinha vindo de longe, rogou para vê-la ao menos por um momento. Então a enfermeira desceu até a administração para buscá-la.

No final do corredor, avista uma paciente que age de forma estranha, com a cabeça para baixo, mas não imagina que possa ser Yeonghye. Somente quando a enfermeira a guia até ela é que reconhece os cabelos da irmã mais nova. De ponta-cabeça, o rosto de Yeonghye está vermelho por causa da concentração de sangue.

"Já está assim há trinta minutos", disse a enfermeira, mostrando-se frustrada. E continuou:

"Começou a fazer isso há dois dias. Não parece estar inconsciente, mas tampouco fala... É diferente dos outros pacientes catatônicos. Até ontem, a obrigamos a entrar no quarto, mas ela fica de ponta-cabeça lá também... E como não podemos mantê-la amarrada... Se a empurramos com um pouco de força, ela cai. Se não conseguir falar direito com ela, tente dar um empurrãozinho. Estávamos justamente para fazer isso, para daí fazê-la entrar no quarto."

Assim que fica sozinha, ela se agacha e tenta fazer contato visual com Yeonghye. Quando se está de ponta-cabeça, o rosto de qualquer um fica diferente. Yeonghye quase não tem volume nas bochechas, e mesmo assim sua pele, puxada para baixo, está estranha. Com os olhos bem vivos, ela mira algum ponto fixo no vazio. Parece não ter notado a chegada da irmã mais velha.

" Yeonghye..."

Sem obter resposta, ela a chama mais alto:

"Yeonghye, o que está fazendo? Fique de pé direito", ordena enquanto estica as mãos na direção do rosto vermelho da irmã.

"Fique de pé! Não está com dor de cabeça? Seu rosto está todo vermelho!"

Acaba empurrando o corpo de Yeonghye com força. Tal como a enfermeira tinha lhe sugerido, a irmã vai caindo aos poucos, começando pelos pés. Em seguida a levanta, apoiando seu pescoço com o braço.

"Olá...", diz Yeonghye com um meio sorriso. "Quando foi que chegou?"

Como quem desperta de um sonho bom, seu rosto está radiante.

A enfermeira que as observa se aproxima e as guia até a sala de visitas, num canto do saguão. Diz que os pacientes com sintomas mais graves, com dificuldade para descer até a sala de visita do térreo, recebem as famílias ali. É também ali que os médicos dão consultas.

Quando ela vai abrir as embalagens com comida que havia trazido para a irmã, Yeonghye diz sorrindo:

"Mana, não precisa mais trazer isso. Não preciso mais comer."

"Mas do que você está falando?", diz, olhando para Yeonghye como quem vê um fantasma. Não a vê tão alegre há muito tempo... Ou melhor: nunca a tinha visto assim antes.

"O que era aquilo que estava fazendo agora há pouco, afinal?"

"Você já sabia?", pergunta, sem responder.

"Do quê?"

"Porque eu não sabia. Achei que as árvores ficavam de pé. Mas agora entendi. Todas estão de cabeça para baixo, com as mãos no chão. Olhe. Olhe lá! Não é incrível?", diz Yeonghye, levantando-se de repente e apontando para a janela.

Yeonghye solta uma gargalhada. Só então ela repara que essa é a mesma expressão que a irmã mais nova tinha na infância. Entrecerrava os olhos sem dobras e, quando sobrava apenas um risco negro, Yeonghye soltava gargalhadas intermináveis.

"Sabe como descobri isso? Foi durante um sonho: eu estava de cabeça para baixo e do meu corpo cresciam folhas, e das minhas mãos brotavam as raízes. As raízes iam perfurando a terra, mais e mais profundamente... Senti que uma flor ia nascer do meio das minhas pernas e as abri, abri bem as pernas..."

Atordoada, ela fica olhando para Yeonghye, que continua a falar, toda animada:

"Preciso me encharcar de água. Não preciso de comida, mana. Só de água..."

"Obrigada por tudo", ela diz à enfermeira-chefe, oferecendo os bolinhos de arroz que trouxe para a equipe.

Enquanto conversa sobre o estado de Yeonghye, como sempre faz, uma paciente na casa dos cinquenta anos, que frequentemente a confunde com uma das enfermeiras, sai de perto da janela e caminha até ela com passos leves.

"Estou com dor de cabeça. Peça para o médico trocar a medicação, por favor."

"Não sou enfermeira. Vim visitar minha irmã mais nova."

A mulher a encara com os olhos desesperados e diz:

"Por favor, me ajude... Não aguento mais essa dor de cabeça... Como posso viver assim?"

Nesse momento, um jovem paciente, com seus vinte e poucos anos, põe-se atrás dela, quase colado em suas costas. No hospital, essas cenas são recorrentes, mas ela acha tudo estranho. Os pacientes ignoram que devem manter uma distância apropriada dos outros; tampouco respeitam qual é o tempo adequado durante o qual se pode olhar para as pessoas. Alguns têm o olhar vazio típico de quem vive encerrado no próprio mundo. Há também os que trazem um semblante tão lúcido que chegam a parecer membros da equipe médica. Assim como foi o de Yeonghye em algum momento.

"Senhora enfermeira, por que permite que ele faça isso? Não vê que ele não para de me bater?", queixa-se uma mulher de voz estridente que aparenta ter uns trinta anos. A cada visita que ela faz à irmã, parece que o delírio persecutório dessa paciente piora.

"Vou lá, tentar outra vez conversar com Yeonghye", ela diz às enfermeiras, acenando com a cabeça.

Pelas expressões que fazem, percebe que ninguém acredita ser possível que ela a convença.

Caminha com cuidado, procurando não encostar em nenhum paciente. Segue em direção ao corredor leste, onde fica o quarto de Yeonghye. Vê a porta aberta e resolve entrar; nesse instante uma mulher de cabelos muito curtos a reconhece e se aproxima:

"Você veio ver Yeonghye, certo?"

É Hiju, que está se tratando do alcoolismo e da ciclotimia. É corpulenta e sua voz é grossa. Seus olhos arredondados, no entanto, lhe dão uma aparência doce. Nesse hospital, os pacientes em melhor estado cuidam dos que apresentam demência em troca de um valor simbólico. Quando Yeonghye passou a se recusar a comer e ficou com a mobilidade comprometida, foi Hiju quem a ajudou.

"Obrigada por sua ajuda com minha irmã", ela lhe diz. Estava prestes a dar um sorriso quando Hiju pôs as mãos úmidas sobre as suas:

"O que vamos fazer agora? Ouvi dizer que Yeonghye pode morrer", diz Hiju com os olhos cheios d'água.

"E como ela está?"

"Vomitou um pouco de sangue agora há pouco. Como não come, os ácidos corroem as paredes do estômago e provocam os espasmos gástricos. Mas será que isso pode mesmo causar hemorragia?", pergunta Hiju num choro que se intensifica. "Quando comecei a cuidar dela, não era assim... Será que não cuidei dela direito? Não imaginava que chegaria a esse ponto... Maldita hora em que fui me meter... Não fosse isso, não estaria me sentindo tão mal agora."

Ela retira suas mãos das de Hiju, que fica cada vez mais transtornada, e se aproxima lentamente da cama de Yeonghye. Pensa que preferia não enxergar, queria que alguém cobrisse seus olhos.

Yeonghye está deitada, rígida. Parece estar olhando através da janela, mas, observando-a com atenção, dá para notar que não está vendo nada. Já não tem carnes em nenhuma parte do corpo: rosto, pescoço, ombros, nem mesmo nos braços e nas pernas. Parece uma refugiada vítima de inanição. Evidente mesmo é a penugem fina e suave que cresce em suas faces e nos braços, semelhante à dos bebês. O médico tinha explicado que o desequilíbrio hormonal causado pela falta de alimentação por um longo período tinha feito com que a penugem aparecesse.

Será que Yeonghye quer voltar a ser criança? Faz tempo que parou de menstruar e com seu peso, que não alcança os trinta quilos, não sobrou nada dos seios. Desaparecidas todas as características de uma mulher adulta, ela está deitada, assumindo a forma de uma menina estranha.

Levanta o lençol que a cobre e tenta mexer no corpo completamente imóvel de Yeonghye para verificar se não nasceu nenhuma nova escara nas costas ou nas pernas. A ferida anterior já está quase curada. Sua vista se detém na mancha mongólica esverdeada e bem visível no meio das nádegas, onde só há ossos. A imagem das flores desenhadas ali e que se estendiam pelo resto do corpo passa como uma vertigem por sua mente e desaparece.

"Obrigada, Hiju."

"Todos os dias eu lavo o corpo dela com uma toalha umedecida e depois passo talco, mas o tempo tem estado úmido demais, por isso as feridas demoram a sarar."

"Obrigada, de coração."

"Antes uma enfermeira me ajudava a dar banho nela e mesmo assim era difícil. Mas agora ela está tão leve que não custa nada. Parece até que estou cuidando de um bebê. Bem que eu queria ter dado banho nela hoje, já que dizem que vai ser transferida. Talvez seja a última vez…"

Os olhos grandes de Hiju ficam vermelhos de novo.

"Não se preocupe, mais tarde vamos dar banho nela juntas."

"Sim, parece que a água quente volta às quatro", diz Hiju, limpando os olhos avermelhados repetidas vezes.

"Então até mais tarde."

Com um gesto de cabeça, cumprimenta Hiju, que sai do quarto, e volta a cobrir o corpo da irmã com o lençol.

Enquanto cuida para que os pés não fiquem para fora, ela vê as regiões em que as veias estouraram. Os dois braços, o peito dos pés, até mesmo os cotovelos. Não há um lugar em todo o corpo que esteja intacto. O único meio de fornecer-lhe proteínas e glicose é por via intravenosa, mas não há mais onde aplicar. A única saída que restou foi a veia cava, que passa pelos ombros, mas como se trata de um procedimento difícil, precisaria ser realizado em um hospital com mais estrutura. Foi por isso que o médico responsável pelo caso lhe telefonara. Ele contou que tinham tentado passar um tubo grosso pelo nariz e pelo esôfago de Yeonghye, mas, como ela fechava a garganta, não deu certo. Em outras palavras: a tentativa de hoje seria a última. Depois disso, a equipe médica do hospital abandonaria o caso.

Quando procurou a administração do hospital, no dia da visita programada, três meses depois de sua irmã ter sido encontrada na floresta, recebeu uma mensagem dizendo que o médico responsável queria falar com ela. Ficou um pouco confusa, porque não conversavam desde o dia em que a havia internado, e isso fazia muito tempo.

"Como sabíamos que sua irmã fica muito nervosa na presença de carne, sempre tomamos cuidado ao servir as refeições aos pacientes. Mas agora ela nem aparece mais no saguão nos horários de refeição, nem se alimenta no quarto, mesmo quando a bandeja é levada. Está assim há nove dias. Está começando a ficar desidratada. Também resiste violentamente quando tentamos colocar a agulha com soro… E, para piorar, acho que ela não está tomando os remédios necessários."

O médico suspeitava inclusive que Yeonghye não tomara os medicamentos por todo aquele tempo. Desculpou-se por não ter prestado mais atenção nela, uma vez que parecia estar se recuperando bem. Para se certificar de que a paciente tinha tomado os comprimidos naquela manhã, a enfermeira lhe pedira que levantasse a língua. Como ela se negou, abriram sua boca à força e a iluminaram com uma lanterna. Os comprimidos estavam intactos.

Foi então que ela perguntou a Yeonghye, que estava com o soro aplicado nas costas da mão:

"Por que você fez isso? Por que fugiu para aquela floresta escura? Não sentiu frio? Você poderia ter ficado muito doente."

O rosto de Yeonghye está muito magro e seus cabelos despenteados parecem um ramalhete de algas marinhas. Ela continua:

"Você precisa comer. Se não quer comer carne, tudo bem. Mas por que não quer comer nada?"

"Estou com sede. Me dê água", diz Yeonghye sem mexer muito a boca.

Ela então vai até o corredor pegar água para a irmã. Depois de beber, Yeonghye diz, soltando um suspiro de irritação:

"Você conversou com o médico? Ele não te explicou?"

"Sim, conversei. Mas por que você não...?"

Yeonghye a interrompe:

"Ele disse que meus órgãos estão todos atrofiados, não disse?"

Ela emudece. Aproximando seu rosto magro, Yeonghye continua:

"Não sou mais um animal, mana", diz Yeonghye baixinho, passando os olhos pelo quarto vazio, como se estivesse contando um segredo. "Não preciso mais comer. Consigo viver assim. Só preciso tomar sol."

"Do que você está falando? Acha mesmo que virou uma árvore? Se você fosse uma planta, como poderia falar? Como poderia pensar?"

Os olhos de Yeonghye brilham. Um sorriso enigmático ilumina seu rosto.

"Você tem razão, mana. Não vai demorar muito e deixarei de falar, de pensar... Falta pouco...", diz a irmã mais nova, esboçando um sorriso e suspirando com força.

O tempo corre.

Os trinta minutos que lhe deram não é muito. Lá fora, a chuva parece dar uma trégua, pois as gotas retidas na tela de proteção pararam de vibrar.

Ela senta na cadeira ao lado da cabeceira de Yeonghye. Abre a mala e pega potes plásticos de diversos tamanhos. Depois de observar os olhos completamente vazios da irmã, abre a tampa do pote menor. Um agradável aroma se espalha pelo quarto úmido.

"Yeonghye, é pêssego. Pêssego em calda enlatado. Você gosta tanto... Você costumava comê-los mesmo na temporada de pêssegos frescos. Parecia até uma criança..."

Ela pega um pedaço macio com o garfo e o leva para perto do nariz de Yeonghye.

"Sinta o cheiro... Não está com vontade?"

No segundo recipiente há melancia cortada em cubos.

"Lembra que, quando era criança, você pedia para cheirar a melancia toda vez que eu cortava uma? Algumas se abriam só de encostar a faca, e seu aroma doce enchia a casa inteira, lembra?"

Yeonghye nem ao menos se mexe. Será que é assim que as pessoas ficam depois de um jejum de três meses? Até sua cabeça diminuiu. Seu rosto está tão pequeno que nem parece o de uma pessoa adulta.

Com todo cuidado, ela esfrega um pedaço da melancia nos lábios de Yeonghye. Tenta abrir sua boca com os dedos, mas está fechada com firmeza.

"Yeonghye...", ela chama baixinho. "Diga alguma coisa..."

Ela resiste ao impulso de balançar os ombros da irmã e forçá-la a abrir a boca. Quer gritar a ponto de estourar os tímpanos dela. "Qual é o seu problema? Está me ouvindo? Está querendo morrer? É isso que você quer?" Espantada consigo mesma, acompanha como a raiva vai subindo dentro dela, como água fervente.

O tempo avança.

Ela desvia o rosto e olha através da janela. Parece que a chuva por fim parou. Mas o céu continua nublado e as árvores molhadas se mantêm em silêncio.

Como o quarto fica no terceiro andar do hospital, dá para ver ao longe o frondoso morro do parque florestal de Chukseong. O enorme bosque também está calado.

Ela tira da mala uma garrafa térmica com chá de marmelo, que verte no copo de aço inoxidável.

"Tente beber, Yeonghye. Está muito gostoso."

Ela mesma dá o primeiro gole. Um agradável sabor adocicado permanece em sua boca. Então molha um lenço com o chá e umedece os lábios de Yeonghye. De novo, não obtém nenhuma reação.

"Está querendo morrer mesmo? Não, não é isso que você quer. Se quer virar uma árvore, também precisa comer."

Interrompe o que estava dizendo e prende a respiração: de repente lhe vem à cabeça que o que Yeonghye sempre quis mesmo foi morrer. Será que então ela esteve enganada esse tempo todo? Será que sua irmã mais nova sempre desejou a morte?

"Não", ela repete para si. "Você não quer morrer!"

Antes de deixar de falar por completo — ou seja, cerca de um mês antes —, Yeonghye tinha lhe dito:

"Mana, me deixe sair daqui."

Tinha perdido tanto peso que parecia outra pessoa. Como se lhe custasse muito esforço falar, pronunciou as palavras de maneira entrecortada, mesclando-as com um áspero resfolegar:

"As pessoas insistem que eu coma... Mas eu não quero comer. Me forçam a comer. Da última vez, eu comi e vomitei... Ontem, me deram uma injeção para dormir logo depois que comi. Mana, eu não gosto dessa injeção. Não gosto mesmo... Me tire daqui. Não quero ficar."

"Mas você já nem consegue andar direito... Só está aguentando graças ao soro. Se eu te levar para casa, promete que vai comer? Se prometer, vou fazer com que te deem alta", disse ela enquanto segurava as mãos magrelas de Yeonghye, percebendo que uma chama se apagava nos olhos da irmã.

"Yeonghye, me prometa."

"Você é igual a todos eles", respondeu Yeonghye de forma quase inaudível e virando o rosto para o outro lado.

"Por que você diz isso? Eu só quero..."

"Ninguém me entende... Nem o médico, nem as enfermeiras... São todos iguais. Nem tentam me compreender. Só o que fazem é me dar comprimidos e enfiar agulhas em mim."

A voz de Yeonghye soava fraca e lenta, mas o que ela dizia tinha firmeza. Seu tom não podia ser mais frio.

"É porque ninguém quer que você morra, ora!", ela finalmente gritou, sem tentar se conter.

Yeonghye então voltou a olhá-la, mas em silêncio, como se encarasse uma mulher desconhecida.

"E por que não posso morrer?"

Foram as últimas palavras de Yeonghye antes de se calar definitivamente.

"E por que não posso morrer?"

O que ela devia ter respondido? Devia ter dito que aquilo era um absurdo e que ela não falasse daquele jeito?

Muito tempo atrás, ela e a irmã se perderam nas montanhas. Yeonghye, então com nove anos, lhe disse: "Vamos ficar aqui e não voltar mais". Naquela época, ela não entendeu o que aquilo queria dizer. "Como assim? Logo vai escurecer. Precisamos achar um caminho o quanto antes." Só depois de muito tempo, ela a compreendeu.

Yeonghye era o principal alvo da violência desferida pelo pai. O irmão mais novo, por ser homem, saía batendo em outros meninos do bairro tanto quanto apanhava em casa, e por isso deve ter sofrido menos. E ela recebia mais atenção, pois era quem preparava a sopa para aliviar a ressaca do pai no lugar da mãe, que estava sempre cansada. Mas Yeonghye, de personalidade pouco condescendente, não sabia acompanhar os humores paternos. E sem conseguir oferecer resistência, os maus-tratos devem ter lhe atingido até o fundo dos ossos. Agora ela sabe: a diligência com que ela agia como filha mais velha não era fruto de uma maturidade precoce, e sim de covardia. Era apenas um meio de sobrevivência.

Será que não podia ter evitado? Impedido que coisas inimagináveis se infiltrassem nos ossos de Yeonghye? A pequena Yeonghye, que ficava sozinha, ao pé da porta da entrada da casa, observando o entardecer. Aquele dia, quando se perderam nas montanhas, por fim desceram pelo caminho oposto ao que fizeram na ida e assim chegaram a um povoado, de onde alguém as levou de volta para casa num pequeno trator, atravessando caminhos que elas desconheciam, enquanto a tarde caía. Ela sentiu-se aliviada, mas percebeu que Yeonghye não tinha ficado feliz. Sem dizer nada, a mais nova ficou apenas observando os choupos sob a luz da tarde.

As coisas seriam diferentes hoje se elas não tivessem voltado para casa, como queria Yeonghye? E seriam outras se, no dia do almoço em família, ela tivesse segurado o braço do pai e impedido a bofetada que ele deu na irmã?

Quando Yeonghye apresentou a ela aquele que seria seu cunhado, ela não simpatizou muito com ele, porque teve a impressão de ser um homem frio. Se, seguindo seu instinto, tivesse tentado impedir aquele casamento, a história teria sido outra?

Não foram poucas as vezes em que ficou pensando nas equações que poderiam ter influenciado no destino de Yeonghye. Contar cada uma das fichas colocadas no tabuleiro da vida da irmã mais nova era, além de inútil, impossível. Mas ela não conseguia parar de refletir.

E se ela própria não tivesse casado com seu marido...?

Quando os pensamentos chegavam a esse ponto, sua cabeça ficava pesada a ponto de paralisar.

Nunca teve certeza do amor do marido. Apesar disso, casou-se com ele. Talvez precisasse de algo que empurrasse sua vida para a frente. Embora ele não a ajudasse financeiramente, ela gostava do tipo de família que formara com ele, um artista, diferente da maioria das famílias, compostas de educadores e médicos. Esforçou-se para se adaptar a seu modo de falar, a seus gostos, seu paladar e seu jeito de fazer amor. No começo, como qualquer casal, tiveram lá suas brigas, pequenas e grandes, mas não demorou muito para que ela se resignasse a quase tudo. Tinha feito bem em agir assim? Talvez nos oito anos em que viveram juntos, ela o tenha decepcionado tanto quanto ele a decepcionou.

Há uns nove meses, ele deu um único telefonema a ela. Era quase meia-noite. Parecia estar ligando de muito longe, pois o intervalo do som das fichas caindo era curto.

"Queria ver Jiu", ele disse em voz baixa, tentando aparentar serenidade.

Sua voz familiar a apunhalou feito uma faca cega.

"Deixe-me vê-lo, nem que seja uma única vez."

Era típico dele: não lhe pedia desculpas, nem suplicava por nada. Mencionou apenas a criança. Muito menos quis saber do estado de Yeonghye.

Ela sabia quão frágil ele era, como era simples ferir seu orgulho e com que facilidade se frustrava. Caso ela recusasse seu pedido, por uma vez que fosse, ele demoraria muito tempo até entrar em contato de novo.

Mesmo sabendo disso, ou melhor, justamente por saber disso, ela desligou o telefone sem dizer nada.

Ele tinha telefonado no meio da noite de um orelhão público. De sapatos rotos, roupas sujas, o rosto amargurado de um homem de meia-idade... Balançou a cabeça para espantar essa imagem que lhe viera de repente, sobrepondo a ela a cena em que ele tentou levantar voo por cima do gradil da sacada da casa de Yeonghye. Ele, que tinha inserido tantos seres alados em seus vídeos, justo quando precisou de asas, não as conseguiu.

Recordava muito bem do instante em que viu os olhos dele pela última vez. Estavam cheios de espanto, e seu rosto parecia o de um desconhecido. Não era o rosto da pessoa a quem tanto ela tinha admirado e de quem tinha cuidado pacientemente. O homem que ela achava que conhecia não passava de uma sombra.

"Eu não te conheço", ela murmurou apertando com força o telefone, depois de desligar. "Não preciso te perdoar, nem precisa me pedir perdão, porque eu não te conheço."

Quando o telefone tocou de novo, ela puxou com força o fio da tomada. No dia seguinte, reconectou o aparelho, mas, conforme previu, ele não voltou a ligar.

O tempo continua a avançar.

Yeonghye está de olhos fechados agora. Terá adormecido? Chegou a sentir o cheiro das coisas que ela aproximou de sua boca?

Ela olha para as maçãs do rosto proeminentes, os olhos fundos e a face abatida. Nota que a respiração da irmã está entrecortada. Levanta e caminha para perto da janela. O céu cinzento vai clareando aos poucos. O parque florestal de Chukseong começa a recuperar sua cor original, sua vitalidade. Yeonghye deve ter sido encontrada em algum lugar perto daquele morro.

"Fui para lá porque escutei um chamado", lhe diz Yeonghye, deitada, com o soro cravado na mão. "Ouvi a voz de alguém me dizendo para ir. Quando parei de escutar essa voz, só fiquei lá, esperando."

"Esperando o quê?"

Quando ela pergunta isso, os olhos de Yeonghye se acendem. Então ela estica a mão livre e segura o braço da irmã mais velha. Dá-lhe um apertão tão forte que ela se assusta.

"Estava quase entrando na terra… Derretida pela chuva… Completamente derretida… É o único jeito que existe para brotar de novo, só que de cabeça para baixo."

De repente, a voz exaltada de Hiju se intromete em seus pensamentos:

"O que vamos fazer agora? Disseram que Yeonghye pode morrer!"

Sente uma dor abafada nos ouvidos, como quando um avião decola em alta velocidade.

Tem uma lembrança que nunca revelou a ninguém. E continuará sem revelar.

Dois anos atrás, em abril, ou seja, na primavera do ano em que o marido filmou Yeonghye, ela perdeu sangue por quase um mês. Não sabia o motivo, mas, cada vez que lavava as calcinhas manchadas de vermelho, lembrava-se do sangue jorrando do pulso da irmã, meses antes. Ficou adiando uma consulta médica, com medo do que poderia ouvir. Se fosse uma doença grave, quanto tempo teria de vida? Um ano? Seis meses? Três? Foi então que, pela primeira vez, tomou consciência do tempo que passou ao lado do marido, período no qual sua alegria e espontaneidade tinham sido eliminadas, prolongado apenas por causa de sua paciência e gentileza. E ela mesma tinha escolhido isso.

Decidiu por fim se consultar com o ginecologista que cuidou do parto de seu filho. Foi pegar o trem, que estava atrasado, na área de embarque externa da estação Wangsimni. No lado oposto, avistou umas estruturas de metal abandonadas, e entre os dormentes mais distantes, onde os trens não passavam, crescia sem cuidado o mato. De repente, se deu conta de que nunca tinha vivido e ficou surpresa. Era verdade. Não tinha vivido de fato. Desde o tempo remoto da infância, tudo o que ela fizera foi aguentar. Acreditava ser uma pessoa boa, e com essa crença evitava fazer mal aos outros. Era trabalhadora e alcançou bem-estar econômico, e assim continuaria. Mas, diante daquelas construções abandonadas e do mato crescido, ela não passava de uma menina, sem experiência de vida.

Quando subiu na maca ginecológica, vencendo o medo e o pudor, o médico de meia-idade introduziu um laparoscópio gelado em sua vagina e lhe extirpou um pólipo que tinha a forma de uma língua. Ela retorceu o corpo de dor.

"Era isso que estava causando a hemorragia. Consegui retirá-lo completamente. A senhora terá alguma perda de sangue forte ainda por alguns dias, mas depois cessará. Seus ovários estão saudáveis, por isso não precisa se preocupar."

Nesse instante, sentiu um sofrimento inexplicável. Voltava a saber que sua vida não estava em risco, mas não se alegrava com isso. A preocupação com a possibilidade de uma doença grave não tinha passado de uma ansiedade banal. Na volta para casa, de pé na área de embarque da estação Wangsimni, sentiu as pernas perderem as forças, não só por causa da dor causada pela cirurgia. Quando por fim o trem chegou na plataforma, fazendo um ruído ensurdecedor, ela se escondeu atrás de uma cadeira de metal. Teve medo de que alguém dentro dela mesma a empurrasse para a frente do trem que se aproximava.

Como explicar os quatro meses seguintes? A hemorragia continuou por mais duas semanas e parou quando a lesão cicatrizou. No entanto, ela sentia como se ainda tivesse uma ferida aberta dentro de si, uma ferida tão grande que parecia que todo o seu corpo estava sendo tragado por um buraco negro.

Contemplou em silêncio o fim da primavera e a chegada do verão. As roupas das mulheres que entravam e saíam de sua loja foram ficando cada vez mais coloridas e leves. Como sempre, ela sorria para os clientes, recomendava-lhes jovialmente variados produtos, fazia-lhes descontos e os presenteava com brindes e promoções. Colava cartazes dos produtos novos em lugares bem visíveis e substituía sem discussões as esteticistas que não agradavam os clientes. Mas quando deixava a loja nas mãos dos funcionários e ia buscar Jiu, estava morta de cansaço. Caminhando pelas noites quentes, cheias de música e de casais, ainda podia sentir o mesmo buraco negro da ferida aberta em seu interior tentando sugá-la. Era assim que arrastava seu corpo suado por essas ruas.

Aconteceu na época em que o sufocante calor começou a ficar mais tênue pelas manhãs e noites. Seu marido tinha voltado para casa de madrugada, depois de vários dias fora, e a abraçou como um criminoso, como tinha feito tantas vezes. Ela o empurrou:

"Estou cansada. Estou cansada de verdade."

"Aguente só um pouquinho", ele sussurrou.

Foi então que ela se lembrou. Lembrou-se de que tinha escutado as mesmas palavras incontáveis vezes enquanto dormia. Durante o sono. Lembrou-se de que, meio dormindo, meio acordada, pensava que se aguentasse aquilo só por um momento, tudo ficaria bem por um tempo. Percebeu que a letargia proporcionada pelo sono apagava a dor e a humilhação. E que, nas manhãs seguintes, na mesa do café, continha o impulso de espetar os palitos nos próprios olhos ou de jogar a água quente da chaleira na cabeça.

Quando o marido adormeceu, o quarto ficou quieto. Acomodou bem Jiu, que dormia de lado, e reparou que os perfis de pai e filho, levemente visíveis no escuro, se pareciam no modo como lhe inspiravam pena.

Não havia nenhum problema. As coisas eram assim. Como sempre havia feito, bastava tocar a vida. Não tinha alternativa.

Não conseguiu pegar no sono outra vez e um enorme cansaço caiu-lhe nos ombros. Sentiu a umidade evaporar-se por completo, como se seu corpo seco estivesse em pedaços.

Saiu do quarto e avistou o céu violáceo através da janela da sacada. Passou os olhos pelos brinquedos deixados por Jiu na noite anterior, o sofá, a televisão, as portas escuras do móvel que fica embaixo da pia, as manchas do fogão, como se visse tudo pela primeira vez. Sentiu uma dor estranha no peito, como se a casa a estivesse oprimindo.

Abriu a porta do armário. Pegou uma camiseta roxa de algodão, desbotada de tanto uso, porque seu filho gostava muito que ela a vestisse. Quando estava triste, costumava pôr a camiseta, que, apesar das tantas lavagens, mantinha um cheiro de bebê recém-nascido e de leite. Isso a reconfortava. Mas dessa vez não surtiu efeito. A dor no peito foi piorando e estava ficando sem ar, por isso respirou fundo.

Sentou de lado no sofá. Acompanhando os ponteiros do relógio, que avançavam, completando uma volta, tentou respirar mais devagar. Não conseguiu. De repente, teve a sensação de ter vivido algo assim diversas vezes, como um déjà-vu. A certeza do sofrimento estava diante dela, como se tivesse sido preparado por muito tempo e com o intuito de se apresentar naquela hora.

"Nada mais faz sentido.

"Eu não aguento mais.

"Não consigo mais seguir.

"Não quero mais."

Outra vez, passou a vista pelos objetos da casa. Não pertenciam a ela. Do mesmo modo que sua vida nunca tinha sido sua.

Tomou consciência de tudo naquela tarde de primavera, enquanto esperava o trem na plataforma de embarque, sentindo que a morte a alcançaria em questão de meses, acreditando que o sangue que escorria de seu corpo era prova disso. Foi nesse dia que percebeu que estava morta havia muito tempo. Que sua vida cansativa não passava de uma encenação ou de uma fantasmagoria. A face da morte, que tinha se aproximado, colocando-se de pé bem a seu lado, lhe era familiar, como alguém perdido tempos atrás e que ela voltava a encontrar agora.

Ergueu-se trêmula, como se sentisse frio, e foi até o quarto onde guardava os brinquedos do filho. Começou a desfazer os nós do móbile que tinha feito junto com Jiu nas noites da última semana. Estavam tão apertados que seus dedos doíam para soltá-los, mas, com paciência, foi até o fim. Depois de guardar as estrelas de papel e o celofane colorido numa cesta, enrolou o fio e o guardou no bolso da calça.

Calçou as sandálias, abriu a pesada porta do apartamento e saiu. Desceu os cinco andares pela escada. Ainda estava escuro lá fora. No enorme edifício, havia apenas duas luzes acesas. Atravessou a saída de serviço e foi em direção à montanha, subindo a escura e estreita trilha.

Por causa da escuridão azulada, a montanha parecia mais densa do que de costume. Àquela hora, mesmo os anciões madrugadores, que acordam cedo para buscar água limpa, deviam estar dormindo. Cabisbaixa, ela andou, andou e andou. Com as costas da mão, limpou o rosto banhado não sabia se de suor ou de lágrimas. Voltou a sentir a dor do buraco que parecia querer engoli-la. Havia também um enorme medo e, ao mesmo tempo, uma sensação de paz.

O tempo não para.

Senta outra vez na cadeira junto à cama. Abre a tampa do último pote de plástico. Arrasta a mão rígida da irmã e a obriga a tocar a superfície lisa de uma ameixa. Faz com que seus dedos magros dobrem e segurem uma delas.

Sabe que ameixa também era uma das frutas preferidas de Yeonghye. Recorda que, certa vez, a irmã colocou a fruta na boca sem morder e disse que gostava da sensação. Mas agora a mão de Yeonghye não reage. Pensa que suas unhas finas parecem de papel.

"Yeonghye...", diz com uma voz seca que ressoa no quarto vazio.

Não há resposta. Ela cola seu rosto ao da irmã. Nesse momento, como um milagre, os olhos de Yeonghye se abrem.

"Yeonghye!"

Fixa-se nos olhos escuros e completamente vazios da irmã mais nova. Neles, há apenas seu reflexo.

A decepção é tão grande quanto a surpresa, e ela perde as forças de vez.

"Você enlouqueceu? Está mesmo maluca?"

Por fim faz a pergunta que sempre quis fazer.

"Então é isso, você está realmente louca..."

Sentindo um medo desconhecido, ela se afasta um pouco zonza e encosta no espaldar da cadeira. O silêncio do quarto, onde não se escuta sequer sua respiração, tampa seus ouvidos como algodão.

"Talvez…", ela murmura, rompendo novamente o silêncio. "Talvez seja mais simples do que parece."

Detém-se por um momento, como se hesitasse. E continua: "Sobre estar louca, quer dizer que…"

Não consegue mais completar as frases. Em vez disso, estica o braço e põe o dedo indicador sob o nariz de Yeonghye. Um suspiro lento e fraco como um fio, mas quente e regular, faz cócegas em seu dedo. Quase não dá para ver que seus lábios tremem.

Será que o sofrimento e a insônia de Yeonghye são mais antigos do que parecem e a atingiram numa intensidade maior do que atingem a maioria das pessoas? E que se extinguiram só quando ela rompeu o precário fio que a ligava à vida cotidiana? No caso dela — pensou —, durante as noites de insônia dos últimos três meses, de fato ela só conseguiu aguentar por causa do filho… Não fosse pela responsabilidade que sentia ter, talvez ela também tivesse rompido o fio.

No entanto, havia momentos em que o sofrimento desaparecia, e era quando Jiu provocava seu riso, por causa de alguma coisa engraçada que falava ou fazia. Às vezes ela ria ainda mais por não acreditar que tinha acabado de cair na risada. Embora nessas ocasiões seus risos estivessem mais para um estado de confusão do que alegria, Jiu parecia gostar de vê-la assim.

"Isso? Foi isso que fez você rir, mamãe?", perguntava ele enquanto repetia o que tinha feito.

Jiu comprimia os lábios, ao mesmo tempo que imitava um chifre com as mãos. Ou fingia cair no chão com tudo. Ou colocava a cabeça entre as pernas e gritava "mamãe, mamãe", fazendo gracinha. Quanto mais ela ria, mais Jiu diversificava suas palhaçadas. No fim, usava todos os truques que sabia para fazê-la rir. Esse esforço todo, vindo de uma criança, a deixava culpada e acabava por diluir seu riso. Mas Jiu não tinha como saber disso.

Depois de rir por alguns minutos, pensava que a vida era estranha. As pessoas comiam, bebiam, tomavam banho e seguiam vivendo mesmo depois de passar por acontecimentos terríveis. Às vezes chegava a rir alto. Quando pensa que seu marido também deve estar vivendo assim, a já esquecida compaixão por ele volta, com tristeza, como se fosse uma sonolência.

Mas quando o corpo pequeno do filho se deita junto ao seu, com aquele cheirinho adocicado e o rosto de criança que ainda não conhece as culpas do mundo, quando ele cai no sono profundo, é aí que a noite começa.

Ainda estava muito escuro, faltando três ou quatro horas para que Jiu despertasse. Não se ouvia o som de nenhum ser vivo. Uma hora tão longa como a eternidade e tão profunda como um pântano. Quando se encolhe, deitada na banheira, e fecha os olhos, a floresta escura lhe vem à cabeça. A chuva negra caindo sobre Yeonghye, perfurando-a como lanças, e seus pés magricelos enlameados. Ela sacode a cabeça, tentando apagar essa imagem, mas, por algum motivo, as árvores do verão cobrem sua visão como chamas verdes gigantes. Será por causa das coisas fantasiosas contadas por Yeonghye? As incontáveis árvores que tinha visto na vida, os bosques cobrindo o mundo como um mar de ondas impiedosas queimando seu corpo cansado. As cidades, os povoados, as estradas apenas flutuavam como ilhas grandes e pequenas, e, levados por essas ondas de lama, moviam-se lentamente a um lugar desconhecido.

Ela não conseguia compreender o que significavam aquelas ondas. Também não fazia ideia do que eram aquelas árvores que se erguiam em chamas verdes no meio da madrugada e que ela contemplava desde a estreita trilha na montanha.

Certamente não diziam nada de reconfortante. Nada que a consolasse, que a ajudasse a se reerguer. Pelo contrário: era uma mensagem tão fria que chegava a ser cruel. Uma mensagem de vida. Por mais que olhasse a seu redor, não encontrava nenhuma árvore disposta a receber sua vida. Limitavam-se apenas a fechar seu caminho, obstinadas e temíveis, como se fossem enormes animais selvagens.

O tempo não para.

Ela fecha a tampa de todos os potes plásticos. Guarda tudo, começando pela garrafa térmica. Fecha o zíper da mala.

Para além desta casca que é seu corpo, em que mundo e espaço remotos estará a alma de Yeonghye? Ela pensa na irmã de ponta-cabeça, ereta. Será que Yeonghye achou que estava em algum lugar da floresta, em vez do chão de concreto? Brotaram de fato caules pretos e fortes de seu corpo e raízes brancas de suas mãos, agarradas ao solo escuro? Será que suas pernas se esticariam rumo ao céu e os braços, ao núcleo da Terra? Teria aguentado ter a cintura puxada pelos dois polos extremos? Quando a luz descesse do céu e a atravessasse e a água emanada da terra a molhasse, nasceria mesmo uma flor de seu púbis? Flores nasceriam da sua pele? Será que aconteciam todas essas coisas com sua alma quando ela punha o corpo de cabeça para baixo?

"Mas olhe só para você", ela diz em voz alta. "Você está morrendo", prossegue em um tom ainda mais elevado. "Está deitada aí, e está morrendo. Isso é tudo."

Morde os lábios com tanta força que lhe sai sangue. Contém o impulso de agarrar entre as mãos o rosto imóvel de Yeonghye, chacoalhar violentamente seu corpo fantasma e jogá-lo no chão.

Já não resta mais tempo.

Põe a mala no ombro e levanta-se da cadeira. Sai do quarto com as costas curvadas. Ao se virar para trás, vê que Yeonghye continua rígida sob os lençóis. Morde os lábios com ainda mais força e caminha em direção à saída.

Uma enfermeira de cabelos curtos vai até a mesa do saguão, carregando uma cestinha branca de plástico que contém cortadores de unha de vários tipos. Os pacientes ficam em fila para receber um. Demoram muito para escolher, como se tivessem, cada um deles, seu cortador preferido. Num canto, uma auxiliar de enfermagem com os cabelos amarrados corta as unhas dos pacientes com demência.

Ela está de pé, observando a cena em silêncio. Objetos pontudos e os que podem ser usados como corda estão proibidos no sanatório, em parte porque podem ferir os outros, mas, acima de tudo, para que os pacientes não os usem contra si. Ela repara no rosto dos pacientes concentrados em cortar as unhas e devolver os cortadores dentro do tempo estipulado. O relógio da parede marca duas e cinco da tarde.

Ela vê através do vidro o jaleco branco do médico esvoaçar e então a porta se abre. É o responsável pelo caso de Yeonghye. Ele dá a volta e fecha a porta com destreza, como quem está acostumado ao gesto. Deve ser assim em qualquer hospital, mas, nos centros psiquiátricos, a autoridade dos médicos especialistas parece ser absoluta. Talvez porque os pacientes estejam presos ali. Quando avistam o médico, aglomeram-se em volta dele como se encontrassem seu salvador.

"Com licença, doutor! O senhor já conversou com a minha esposa? Se o senhor disser para ela que posso ter alta…", grita um homem de meia-idade enfiando um papelzinho no bolso do jaleco do médico. "É o número do telefone da minha esposa. Se puder me fazer o favor de ligar…"

Um paciente idoso, que parece ter demência senil, o interrompe:

"Doutor, troque o meu remédio, por favor. Escuto um zumbido o tempo todo…"

Enquanto isso, uma paciente com delírio persecutório se aproxima do médico e começa a berrar:

"Doutor, o senhor não vai falar comigo? Não aguento mais ele batendo em mim! Ai, qual é o seu problema? Por que me chutou? Fale, em vez de bater!"

Com um sorriso tranquilo e profissional, o médico tenta fazer a mulher se acalmar:

"Mas quando foi que eu chutei a senhora? Espere só um pouco, enquanto converso com este senhor primeiro. Desde quando começou a ter zumbidos no ouvido?"

A mulher o espera, batendo os pés no chão e com o rosto carrancudo de quem, mais do que agressividade, demonstra angústia e desamparo.

A porta do saguão se abre novamente e agora entra um médico que ela nunca tinha visto por lá.

"É um clínico geral", lhe diz Hiju, que tinha se aproximado sem que ela percebesse.

Deve ser obrigatório ter um clínico geral em todo hospital, ela pensa. É um homem jovem; dá a impressão de ser frio, porém inteligente. O médico responsável por Yeonghye finalmente se desvencilha dos pacientes que o rodeavam e faz ressoar seus sapatos na direção dela. Sem pensar, ela dá um passo para trás.

"Já conversou com sua irmã?"

"Ela parece estar inconsciente."

"Por fora, pode parecer. Mas todos os seus músculos estão rígidos. Não é que não tenha consciência; é que está fixada em outro lugar. Se a senhora visse a reação que ela tem quando a tiramos desse estado, perceberia que está bem desperta", lhe explica com a postura séria e até um pouco tensa. "Imagino que seja muito duro para a senhora, que é da família. E já que não vai poder ajudar muito, seria melhor não estar presente."

"Entendo, mas... Acho que ficarei bem."

Um auxiliar carrega Yeonghye nos ombros; ela resiste, contorcendo-se. Eles passam pelo corredor e entram num quarto duplo. Acompanhando a equipe médica, ela também entra no quarto. O médico estava certo: Yeonghye está bem consciente. Seus movimentos corporais são tão exagerados e agressivos que quase não dá para acreditar que até pouco tempo estava deitada, imóvel. Um berro explode de sua garganta.

"... Solta! ... Me soltaaaa!"

Dois auxiliares e um técnico de enfermagem pulam para cima de Yeonghye e conseguem colocá-la na cama. Prendem braços e pernas.

"Fique lá fora, por favor", orienta a enfermeira-chefe ao vê-la inquieta e sem saber o que fazer. "É difícil para uma pessoa da família assistir a isso. Melhor esperar lá fora."

Nesse instante, ela vê um brilho nos olhos de Yeonghye, que se cravam nela. Seus gritos ficam mais veementes. Palavras sem nexo começam a sair de sua boca. Agitando todos os membros, Yeonghye tenta se livrar das amarras e correr em sua direção.

Sem saber por quê, ela se aproxima da irmã mais nova. Yeonghye retorce os próprios braços descarnados e está com a boca em borbulhas.

"Não... quero...!"

Pela primeira vez, grita algo mais compreensível. No entanto, parece o uivo de um animal.

"Não... quero...! Não quero... co... mer...!"

Ela segura as bochechas com espasmo de Yeonghye com as duas mãos.

"Yeonghye! Yeonghye!", ela a chama, tomando entre suas mãos as faces convulsas da irmã.

Os olhos cheios de terror de Yeonghye lanharam os seus como um chicote.

"Saia daqui. Só está atrapalhando."

Os auxiliares erguem Yeonghye, segurando-a pelas axilas.

Já ela não tem tempo para resistir: é expulsa do quarto, puxada pelo braço por uma enfermeira.

"Fique aqui. Ela está ainda mais nervosa por sua causa."

O médico responsável pelo caso veste as luvas. Pega o tubo fino e comprido que a enfermeira-chefe lhe entrega e passa gel nele, distribuindo-o bem. Enquanto isso, os auxiliares seguram firme o rosto de Yeonghye. Ao ver o tubo se aproximar, ela fica toda vermelha e consegue se desvencilhar da mão de um dos auxiliares. É de fato difícil saber de onde vem tanta força. Sem conseguir evitar, ela dá alguns passos para a frente, mas uma enfermeira segura seu braço, impedindo-a. Finalmente, as mãos fortes do auxiliar agarram o rosto cavado de Yeonghye. O médico responsável aproveita para enfiar o tubo em seu nariz.

"Mas que droga, está obstruído de novo!", exclama, lamentando-se.

Yeonghye tapa o esôfago com a epiglote e o tubo sai pela boca, empurrando os lábios. O intensivista, que estava pronto para inserir o alimento em pasta pelo tubo, franze a testa. O médico responsável acaba por retirar o tubo do nariz da paciente.

"Vamos tentar de novo. Mais rápido desta vez", diz o médico enquanto volta a lubrificar o tubo com gel.

Yeonghye resiste, mas o auxiliar corpulento a segura. O tubo finalmente passa pelo nariz.

"Pronto. Agora, sim."

O médico exala um curto suspiro. As mãos do clínico geral agem rapidamente. Com uma seringa, começa a injetar o alimento pastoso pelo tubo.

A enfermeira que a expulsou do quarto e que a estava segurando pelo braço lhe sussurra no ouvido:

"Conseguimos. Foi um sucesso. Agora vamos colocar a paciente para dormir, para que não vomite."

No momento em que a enfermeira-chefe vai administrar um calmante, uma outra solta um grito agudo de repente. Ela então aproveita para se desvencilhar da mão daquela que a segurava e corre em direção à cama onde está a irmã.

"Saiam, saiam da frente! Quero vê-la!"

Afasta o ombro do médico responsável e põe-se diante de Yeonghye. O rosto da auxiliar que manejava o tubo está cheio de sangue. O sangue jorra do tubo e da boca de Yeonghye sem parar. O intensivista, que está com a seringa nas mãos, dá alguns passos para trás.

"Tirem isso! Tirem esse tubo!", ela grita o mais alto que pode, sem se dar conta, enquanto um auxiliar a agarra pelos ombros e a arrasta outra vez para fora do quarto.

Em seguida o médico responsável tira o tubo do nariz de Yeonghye, que se debate com violência.

"Parada! Fique parada! Parada!", ordena o médico a Yeonghye. "Tranquilizante!"

A enfermeira-chefe lhe estende a injeção que tem nas mãos.

"Não!", grita ela, que estava observando tudo. "Chega! Parem! Parem com isso!"

Ela morde o braço do auxiliar e corre para dentro do quarto outra vez. Aproxima-se num salto e abraça o corpo de Yeonghye. O sangue que a irmã vomita sem parar suja sua camisa.

"Já chega, por favor... Parem com isso...", ela berra mais uma vez, agarrando o pulso da enfermeira-chefe que estava segurando a injeção.

Ela então sente os espasmos silenciosos do corpo de Yeonghye em seu colo.

O jaleco branco de mangas arregaçadas do médico está salpicado de gotas de sangue. Com um olhar perdido, ela observa as manchas, que lhe parecem um redemoinho.

"É preciso transferi-la para um hospital geral o mais rápido possível. Sugiro que vão para Seul. Quando se resolver o problema da hemorragia estomacal, vão aplicar uma injeção de proteínas na carótida. Não vai funcionar por muito tempo, mas é o único jeito de mantê-la viva."

Ela guarda na bolsa a folha impressa com o diagnóstico que acabam de lhe dar e sai da sala dos enfermeiros. Assim que entra no banheiro, suas pernas, que estavam firmes, desmoronam na frente do vaso sanitário. Então começa a vomitar o chá preto que tomou mais cedo, junto com suco gástrico amarelo.

"Sua idiota! Sua idiota!", ela repete com os lábios trêmulos enquanto lava o rosto. "O máximo que ia conseguir era machucar a si mesma. Seu corpo é a única coisa à qual você pode fazer mal. É a única coisa com a qual você pode fazer o que quiser. Mas nem isso te deixam fazer."

Levanta a cabeça diante do espelho, com o rosto molhado. Aqueles olhos que ela vê refletidos são os mesmos que viu sangrar incontáveis vezes nos sonhos. Os mesmos que, por mais que ela esfregasse com as mãos, não conseguia limpar. Mas agora ela não está chorando. Como sempre fez, sem demonstrar seus sentimentos, apenas se olha calada no espelho. Pensa nos gritos que deu há pouco e não os reconhece como seus.

O corredor balança diante de seus olhos, como se estivesse sob o efeito de álcool. Esforçando-se ao máximo para manter o equilíbrio, ela caminha em direção à recepção. De repente, um raio de sol ilumina o corredor antes sombrio. Fazia tempo que o sol não aparecia. Enquanto os pacientes agitam-se e correm para a janela, uma mulher vestida com roupas normais se aproxima dela, que entrecerra os olhos, tentando focar e reconhecer aquele rosto. Era Hiju. Deve ter chorado de novo, pois seus olhos estão vermelhos. Será que é assim tão emotiva por natureza ou sofre de grandes picos emocionais?

"O que vai acontecer com Yeonghye se for transferida?"

"Obrigada por tudo", ela diz segurando as mãos de Hiju.

De repente, tem o impulso de abraçar os ombros fortes dessa mulher, que chora. Mas se contém. Em vez disso, vira o rosto para observar os pacientes que olham com ansiedade pela janela. Parecem querer atravessar o vidro e sair andando. Mas eles estão presos aqui, assim como Yeonghye, como Hiju. Não a abraçou porque não se esqueceu de que foi ela mesma quem aprisionou a irmã ali.

Ouvem-se passos acelerados vindos do corredor leste. Dois auxiliares empurram uma maca com a irmã em cima. Uma auxiliar de enfermagem e ela mesma tinham lavado rapidamente Yeonghye e trocado sua roupa poucos minutos antes. Com o rosto limpo e os olhos fechados, sua irmã parece um bebê dormindo depois do banho. A mão áspera da Hiju começa a se esticar para alcançar a mão esquelética de Yeonghye, mas ela prefere virar o rosto para não presenciar a cena.

Através do vidro da ambulância, se estende o frondoso bosque de verão. Sob o sol do fim de tarde, brilha a folhagem molhada pela chuva, como se renascesse.

Ela arruma os cabelos ainda úmidos de Yeonghye atrás da orelha. Conforme Hiju tinha dito, o corpo da irmã estava leve. Sua pele, coberta por uma penugem infantil, estava branca e lisa. Momentos antes, enquanto banhava suas costas e reparava nos ossos salientes, ela se lembrou das incontáveis tardes em que, ainda crianças, tomavam banho juntas, e ela também lavava as costas e os cabelos da irmã.

Cabelos que, finos e sem força, ela acaricia agora. No instante em que pensa que são parecidos com os de Jiu, quando ele ainda era um bebê de colo, tem a sensação de que suaves dedos de criança alisam sua sobrancelha, e fica confusa.

Tira o celular da bolsa, que deixou desligado o dia inteiro. Volta a ligá-lo para teclar o número de sua vizinha.

"Alô? Aqui é a mãe de Jiu… Estou no hospital, por causa de um parente… É que surgiu um contratempo… Não, o ônibus escolar chega às dez para as seis no prédio… Sim, chega sempre a essa hora. Não vou demorar, mas, se me atrasar muito, vou buscá-lo e o levarei comigo para o hospital. Deixar dormir aí…? Mesmo? Muito, muito obrigada, de verdade… Você tem meu número, certo? Eu ligo de novo mais tarde."

Desligando o celular, ela se dá conta de que há tempos não deixa Jiu com outra pessoa. Desde que seu marido foi embora, segue à risca a regra que havia imposto a si mesma de passar as noites e os finais de semana com o filho.

Uma profunda ruga de preocupação nasce em sua testa. Sentindo uma repentina sonolência vencê-la, ela reclina as costas contra a janela da ambulância, fecha os olhos e começa a pensar.

Logo Jiu vai ficar mais velho, vai aprender a ler, se relacionará com outras pessoas. Algum dia, quando chegar aos ouvidos do filho toda a verdade dos fatos, como ela poderá explicar o que aconteceu? Embora tenha sido um bebê de saúde frágil e seja sensível por natureza, até agora cresceu com alegria. Será que ela conseguirá protegê-lo para que sempre seja assim?

Então ela se lembra da visão dos corpos nus e entrelaçados do marido e Yeonghye. A imagem a chocou muito, não havia dúvida, mas conforme o tempo passa, por alguma razão, ela já não a relacionava a algo sexual. Aqueles corpos, cobertos de flores, folhas e caules verdes, eram tão estranhos que já não se assemelhavam a pessoas. Os movimentos que faziam pareciam forjar uma luta para deixar de serem humanos. Qual era a intenção de seu marido quando decidiu gravar a fita? Por que arriscou tanto por aquela filmagem desoladora para, no fim, perder tudo?

"Bateu um vento e a foto da mamãe voou. Olhei pra cima e tinha um passarinho. O passarinho me disse: 'Aqui é a mamãe…'. Aí duas mãos nasceram nele."

Jiu tinha lhe dito isso muito tempo atrás, quando ainda não sabia falar direito, com os olhinhos meio abertos, logo depois de acordar. Ela se assustou com o sorriso vago em seu rosto e percebeu que ele estava prestes a cair no choro.

"Mas o que foi? Teve um sonho triste?"

Ainda deitado, Jiu esfregou os olhos com os punhos.

"Como era esse pássaro? De que cor era?"

"Branco… Era muito bonito", respondeu o menino entre soluços, afundando o rosto no colo dela.

Como acontecia quando ele tentava de tudo para que ela risse, aquele choro a deixou paralisada, sem saber o que fazer. O filho não estava pedindo ajuda nem atenção. Só estava chorando, quase sem fazer barulho, porque se sentiu triste.

"Quer dizer então que era uma passarinha-mamãe?", disse ela, tentando consolá-lo.

Jiu assentiu com a cabeça, ainda enterrada em seu colo. Ela então envolveu o rosto do filho com as mãos:

"Olhe para mim, a mamãe está aqui. Eu não virei um passarinho branco, está vendo?"

Um sorriso tímido começou a se esboçar no rosto molhado do menino, que parecia o de um filhotinho de cachorro.

"Viu só? Foi só um sonho."

Tinha sido mesmo só um sonho?, ela se perguntou. Mera coincidência? O filho tinha sonhado isso no mesmo dia em que ela despertou de madrugada, vestiu a camiseta roxa desbotada, desceu as escadas do edifício, embrenhou-se pelas árvores da montanha e voltou.

"Foi só um sonho."

Era isso que ela dizia em voz alta todas as vezes que se lembrava do rosto de Jiu naquele dia. Despertada pela própria voz, ela arregala os olhos, pisca e olha para a direita e para a esquerda. A ambulância percorre a toda velocidade o caminho em declive. Suas mãos tremem visivelmente enquanto ela ajeita o cabelo desarrumado.

Como pôde pensar em abandonar o filho com tanta facilidade? Não consegue achar explicação para isso. Seria um pecado tão cruel e tão irresponsável que ela não podia confessá-lo a ninguém, nem pedir perdão. O que de fato lhe pesa como o sentido da verdade — glacial até a medula — é que, se seu marido e Yeonghye não tivessem ultrapassado todos os limites como fizeram, se seus atos não tivessem feito com que tudo ao redor desmoronasse como areia, certamente a pessoa a surtar teria sido ela. E se tivesse surtado, não teria como se recuperar. Então o sangue que Yeonghye vomitou hoje era para ter saído do seu próprio peito?

Yeonghye solta um gemido, como quem está acordando. Com medo de que vomite de novo, ela pega rapidamente um lençol e o aproxima da boca da irmã.

Em vez de vomitar, Yeonghye abre os olhos escuros, que se direcionam a ela. O que será que se passa por trás desses olhos? Que tipo de terror, ira, dor ou inferno, que ela desconhece?

"Yeonghye...", ela chama em tom desanimado.

"Hmm, hmm..."

Yeonghye emite sons não ao modo de resposta, mas como quem não quer falar, e vira o rosto.

Ela chega a esticar a mão trêmula, mas cessa o movimento. Cerra os lábios ao se lembrar do caminho pela montanha naquela madrugada.

Suas sandálias molhadas pelo orvalho deixaram seus pés úmidos e gelados. Não teve vontade de chorar nem nada parecido, porque não compreendia o que queria dizer aquela sensação úmida, que se espalhara por seu corpo destroçado e subia por suas veias ressecadas. Simplesmente infiltrava-se na pele e chegava aos ossos.

"Talvez tudo isso...", sussurra de repente para a irmã. O veículo balança com força ao passar por um buraco na via. Com as mãos agora firmes, ela pega Yeonghye pelos ombros e continua: "... talvez seja tudo um sonho".

Ela então abaixa mais a cabeça e, como se estivesse possuída, cola a boca no ouvido de Yeonghye e recomeça a falar, marcando cada uma de suas palavras:

"Nos sonhos, tudo parece real, mas ao acordar descobrimos que não é assim... Por isso, quando a gente acordar, quem sabe..."

Ela levanta a cabeça. A ambulância faz a última curva do parque florestal de Chukseong. Ela vê um pássaro preto parecido com um falcão voando em direção às nuvens escuras. Um raio de sol estival ofusca sua visão e ela não consegue mais acompanhar seu voo.

Em silêncio, respira profundamente. Olha com ferocidade para as árvores que ardem na beira da estrada, chamas verdes que se agitam como animais selvagens em pé. Ela as encara com agressividade. Como se esperasse das árvores uma resposta, ou melhor, como se exigisse, lança a elas um olhar sombrio e obstinado.

채식주의 자 © Han Kang, 2014. Mediante acordo com Barbara
J Zitwer Agency, KL Management and SalmaiaLit

Todos os direitos desta edição reservados à Todavia.

*Este livro foi publicado com o apoio do Instituto
de Tradução de Literatura da Coreia (LTI Korea).*

Grafia atualizada segundo o Acordo Ortográfico da Língua
Portuguesa de 1990, que entrou em vigor no Brasil em 2009.

capa
Pedro Inoue
preparação e edição de texto
Lívia Deorsola
revisão
Ana Alvares
Huendel Viana

17ª reimpressão, 2025

Dados Internacionais de Catalogação na Publicação (CIP)

Kang, Han (1970-)
A vegetariana / Han Kang ; tradução Jae Hyung Woo. —
1. ed. — São Paulo : Todavia, 2018.

Título original: 채식주의자
ISBN 978-85-88808-28-7

1. Literatura coreana. 2. Romance. I. Woo, Jae Hyung.
II. Título.

CDD 895.7

Índice para catálogo sistemático:
1. Literatura coreana : Romance 895.7

Bruna Heller — Bibliotecária — CRB 10/2348

todavia
Rua Luís Anhaia, 44
05433.020 São Paulo SP
T. 55 11. 3094 0500
www.todavialivros.com.br

fonte
Register*
papel
Pólen natural 80 g/m²
impressão
Geográfica